Pri...
de...

Ce roman f...
P...
de... ...lecteurs de POINTS !

Le Prix du Meilleur Roman des lecteurs de Points, ce sont :
- 10 romans choisis avec amour par Points,
- 60 jurés lecteurs enthousiastes et incorruptibles,
- une année de lectures, de conversations et de débats,
- un vote à bulletin secret, un suspense insoutenable...
Et un seul lauréat !

Qui sera le successeur de David Grossman, Steve Tesich, Joyce Carol Oates, Michel Moutot et Metin Arditi ?

Pour tout savoir sur les livres sélectionnés, donner votre avis sur ce livre et partager vos coups de cœur avec d'autres passionnés, rendez-vous sur :

www.prixdumeilleurroman.com

En partenariat avec *Page des libraires*,
30 ans de lectures partagées

Née en France, Clémentine Beauvais vit en Grande-Bretagne et en observe les habitants avec curiosité depuis presque douze ans. Arrivée étudiante dans un *college* de Cambridge, elle est aujourd'hui enseignante-chercheuse en sciences de l'éducation à l'université de York. Elle est l'autrice d'une vingtaine de livres, dont *Les Petites Reines* (coll. EXPRIM', Sarbacane, 2015) qui a connu un succès retentissant : le roman a été traduit en cinq langues, adapté au théâtre, élu Meilleur Roman Jeunesse 2016 par le magazine *Lire*, lauréat du Prix NRP, du Prix Sorcières et du Prix Libr'à'nous, et a été sélectionné pour une quinzaine d'autres prix, y compris la prestigieuse *Carnegie Medal* en Grande-Bretagne. Un succès confirmé l'année suivante avec *Songe à la douceur*, qui a reçu un accueil unanime. En septembre 2018, elle publie, toujours dans la collection EXPRIM', *Brexit Romance*, une pétillante comédie romantique et politique.

TEXTE INTÉGRAL

ISBN 978-2-7578-7365-6
(ISBN 978-2-84865-908-4, 1re publication)

© Éditions Sarbacane, 2016, collection Exprim'

Clémentine Beauvais

SONGE
À LA DOUCEUR

ROMAN

Éditions Sarbacane

Bande-son

- FRANK SINATRA, *As Time Goes By*
- LIZA MINNELLI, *I Will Wait For You*
- SUFJAN STEVENS, *Eugene*
- FAUVE, *Les nuits fauves*
- GABRIEL FAURÉ, Au bord de l'eau
- PIOTR ILITCH TCHAÏKOVSKI, (Aria de Lensky),
  Eugène Onéguine
- SUFJAN STEVENS, *Death With Dignity*
- JANE BIRKIN, *Quoi*
- KEREN ANN, *Not Going Anywhere*
- FRANÇOISE HARDY, *Partir quand même*
- LEONARD COHEN, *Hey, That's No Way To Say Goodbye*

Librement inspiré

du roman
d'Alexandre Pouchkine,
Eugène Onéguine (1837)

et de l'opéra
de Piotr Ilitch Tchaïkovski,
Eugène Onéguine (1879)

Mon enfant, ma sœur,
Songe à la douceur
D'aller là-bas vivre ensemble

Charles Baudelaire, « L'invitation au voyage »

1

Parce que leur histoire ne s'était pas achevée au bon
endroit, au bon moment,
    parce qu'ils avaient contrarié leurs sentiments,
il était écrit, me semble-t-il, qu'Eugène et Tatiana se retrouvent
dix ans plus tard,
    sous terre,
dans le Meteor, ligne 14 (violet clair), un matin d'hiver.

Il était neuf heures moins le quart.
    Eugène, imaginez, portait un pantalon de velours noir,
    une chemise Oxford à carreaux bleu pâle, col sage ;
    une veste anthracite en tweed, une écharpe grise,
probablement cachemire, effrangée aux extrémités,
    enroulée une fois,
deux fois
    autour de son cou – et par-dessus, un visage
    qui s'était apaisé,
    depuis la dernière fois ;
    un visage dont les traits, depuis la dernière fois,
    avaient un peu desserré leur écriture.
Il avait l'air moins dur,
    et plus
    patient.

Plus élastique, plus tendre.
Un visage rincé de son adolescence ;
celui d'un jeune homme
         qui a pris son mal en patience,
celui d'un jeune homme qui a appris à attendre.

Tatiana, figurez-vous,
         avait repensé à lui la veille au soir,
ce qui aurait pu être une étonnante coïncidence,
sauf qu'elle pensait à lui souvent
                    – et je suis sûre que parmi vous,
                    il y en a qui pensent,
                    parfois, à des amours gâchées
                    il y a deux, trois ou dix ans.
Ce n'est pas pire après dix ans,
ça n'augmente pas nécessairement avec le temps,
         ce n'est pas
un investissement,
le regret.
Il n'y a pas toujours de quoi en faire toute une histoire.
         Mais pour ces deux-là, vous m'excuserez de
         faire une exception.
         Regardez comme ils chancellent de se revoir.
         Regardez un peu leurs regards…

« Eugène, ça fait longtemps ! » s'exclama Tatiana, plutôt
bonne actrice.
         Il vint s'asseoir à côté d'elle, un siège s'était
justement libéré.
         Sur la vitre noire qui réfléchissait son visage,
un front endormi avait imprimé
                    un petit disque de graisse
comme un tampon discret dans un carnet de voyage.

Peut-être quelqu'un qui avait voulu laisser une trace de son passage.

Tatiana se voyait elle aussi dans la vitre, à l'oblique, alors qu'accélérait le train en rugissant.
Les démarrages, les virages et les freinages de la ligne 14 sont notoirement malveillants. On ne peut tranquillement ni s'y tenir debout, ni bavarder, ni lire. Mais elle nous emmène très loin, très vite ; c'est l'avantage.

Tatiana fixait toujours la vitre qui réfléchissait leurs deux visages.

Eugène lui cria :
« Qu'est-ce que tu deviens ?
Je ne savais pas que tu étais enceinte ! »

Elle ne l'était pas.
Cependant, il lui était difficile de contredire Eugène, car elle arborait sur son duffle-coat un énorme badge où une tête de nourrisson hilare déclarait, en lettres capitales dans une grande bulle blanche,

BÉBÉ À BORD !

et en plus petit dessous, « Merci de me céder votre place ».

Il était donc logique qu'Eugène
(que cette conclusion ravageait, et qui d'ailleurs était surpris de s'en trouver si affligé)
en déduise cette chose-là.

Il y avait une explication, qui ne pouvait être donnée dans l'immédiat :
à cause de la rareté des sièges inoccupés
dans le métro parisien entre huit
et neuf heures du matin,

Tatiana avait acheté quelques mois auparavant
ce précieux sésame,
immédiat libérateur de strapontin.
Elle adorait voir les gentils passagers,
notant son badge, se lever,
bondir de leur place comme si
elle leur brûlait les fesses.
Elle les remerciait bien,
avec de fins sourires de Vierge.
Et puisque son état n'avait rien de secret,
il déclenchait des conversations hurlées,
sur les prénoms,
                    la layette,
l'accouchement,   la péridurale,
                        les crèches,
                            l'allaitement,
                                            etc.

Elle avait dû s'informer un minimum sur les expériences
de femme enceinte, de parturiente et de jeune mère,
        développer un récit cohérent,
        car il y avait souvent dans la rame à cette heure-là
        les mêmes passagers.
        Elle ne pouvait pas dire un jour qu'elle était à
        quatre mois d'une grossesse gémellaire,
        et le lendemain que c'était une petite fille trisomique
        qu'elle et son mari avaient décidé de garder,
        et le surlendemain un enfant miracle, après huit
        fécondations *in vitro*,
        et le jour d'après qu'elle faisait mère porteuse pour
        un couple gay;
on n'aurait plus cru à son badge si son histoire changeait.

14

Ce souci d'exactitude était le prix à payer pour un siège
quotidiennement libre jusqu'au retour du printemps,
où elle pourrait, plus agréablement,
se rendre en vélib' à la Bibliothèque Nationale.

« Qui est le père ? » demanda Eugène.

« Le père ? Le père, c'est Fred. »

« Fred ? Je le connais ? »

« Non, sans doute pas, »

dit Tatiana qui venait de l'inventer.

Il y eut un silence.

Puis Tatiana le complimenta : « Quelle élégance ! »

« Ah – merci, répondit Eugène.

Je vais à l'enterrement de mon grand-père. »

« Oh ! Génial ! » fit Tatiana,

ne s'étant pas laissé tout à fait assez de temps
pour enregistrer l'information.

Prochaine station : *Gare de Lyon*.

À droite, de l'autre côté du quai,
une luxuriante forêt tropicale aménagée surgit derrière
les larges vitres.

(Je me souviens combien,
à onze ou douze ans,
j'avais rêvé d'y voir se balancer
des singes ou des serpents.)

Les portes coulissèrent, et on informa les passagers
en trois langues
qu'il fallait ici descendre à gauche.

« *Bajada por el lado izquierdo*. »

15

(Moi, à l'époque où tout cela était fabuleux et nouveau,
je m'étais demandé à quels extraterrestres s'adressait
ce message impénétrable.
« *C'est si jamais il y a des Espagnols dans la rame*,
m'avait expliqué mon père ;
pour qu'ils sachent où descendre ».
Je n'étais pas sûre de ce qu'étaient des Espagnols.
Je les imaginais longs et caoutchouteux,
je ne sais pas pourquoi.
Pendant des mois,
à l'approche de la station Gare de Lyon, je guettai,
le cœur battant, les mains serrées,
l'apparition de créatures élastiques
qui, désobéissant à l'appel, ouvriraient la porte côté jungle
et iraient se couler parmi les feuilles des palmiers.)

Mais retournons à nos deux voyageurs.
Leurs souvenirs sont plus graves que les miens.
Ils ont des choses à se dire qu'ils n'arrivent pas à articuler.
Alors ils en disent d'autres, mais qui peinent à cacher
ce qui les préoccupe.
C'est ce qui se passe quand on a tout gâché :
on est lâche.
Heureusement que quelqu'un en nous parle à notre place.

« Et toi, tu vas où ? » demanda Eugène.
« À la BnF. Comme tous les matins,
exactement
à la même heure –
si jamais tu comptes refaire le même trajet demain… »

16

Il va au cimetière, t'es conne ou quoi ?
se hurla Tatiana mentalement.
                                        Par bonheur,
Eugène ne releva pas la gaffe,
tout occupé à se demander
ce qu'il faisait demain à la même heure.
    « Tu vas à la bibliothèque pour quoi faire ? »
    « Je bosse sur ma thèse.
    Je suis en dernière année de doctorat. »
    « Ah oui ? Une thèse en quoi ? »
    « En histoire de l'art, sur Caillebotte.
Gustave Caillebotte. »
                    Elle passa alors en pilote automatique ;
Ne t'inquiète pas, personne ne sait qui est Caillebotte… :
    « Ne t'inquiète pas, personne ne sait qui est Caillebotte.
    C'est un artiste du dix-neuvième siècle qui était à la fois
    peintre et collectionneur, théoriquement dans le courant
    des Impressionnistes, mais en fait ses peintures sont
    beaucoup plus précises, plus classiques en quelque
    sorte – tu as peut-être vu l'un de ses tableaux les plus
    célèbres, une vue de Paris sous l'averse, des bâtiments
    haussmanniens en proue de bateau, avec un homme
    et une femme sous un parapluie – »
                            « Je sais,
                            je sais,
                l'interrompit Eugène.
    Je sais très bien qui est Caillebotte. »
    « Ah ! Parfait.
                Eh bien, tu sais tout. »

Cette déclaration de Tatiana impliquait accidentellement
que sa thèse se résumait à
                            pas grand-chose.

Pour qu'il ne reste pas sur cette impression, elle entreprit
de lui décrire,

>   dans un niveau de détail
>   qu'on pourrait juger peu nécessaire,
>   un morceau de son troisième chapitre,
>   très spéculatif en ces temps-là,
>   qui portait sur la représentation de l'eau
>   chez Caillebotte ; Tatiana y montrait,
>   non sans intrépidité rhétorique,
>   que le traitement de l'élément liquide
>   dans ses tableaux
>   – pluie, rivière, eau de rinçage –
>   répondait de manière discrètement contestataire
>   aux barbouillages
>   plus pâteux et spongieux de ses contemporains.

Quand elle eut achevé ses explications, le métro arrivait
                    dans un très long mugissement
à la station Bibliothèque François Mitterrand.
Eugène, lui aussi, sortit du wagon.

       « Ton enterrement est dans le coin ? » fit Tatiana,
pas très élégamment.

       « C'est au cimetière du Kremlin-Bicêtre.
       Je vais y aller à pied, j'ai le temps. »

       Ils se perchèrent en silence sur l'escalier mécanique ;
                    elle se tint gauchement sur la droite,
le pied droit devant le gauche,
pour cacher l'échelle
qu'elle avait au collant
(gauche).

       Eugène semblait pensif.

18

Tatiana remarqua des ridules à la naissance
de son front,
qui n'avaient pas été là la dernière fois,
mais dont elle aurait pu anticiper la progressive apparition,
à force de tous ces froncements de sourcils
qu'il faisait à l'époque pour exprimer sa désapprobation.

Il avait été un adolescent désapprobateur,
plein d'ennui,
et elle trop approbatrice
et trop rêveuse.
Elle se demanda vaguement si elle était toujours amoureuse.

« Ça serait sympa qu'on se revoie, »
lui dit Eugène à mi-escalator.
Comme cette phrase appelait mille questions,
Tatiana n'en posa aucune,
et se concentra sur les périls immédiats de son ascension :
son bras gauche

s'échappait vers le haut,
tiré par la rampe plus rapide que les marches.
Elle vérifia que son écharpe ne traînait pas par terre,
histoire de ne pas se faire étrangler au bout de l'escalator.
(Elle avait vu la vidéo d'un tel incident sur Internet.
Le mec en était mort.)
« Je peux avoir ton numéro ? » reprit Eugène.
« Bien sûr, » dit-elle, et le lui donna.
Il la bipa pour qu'elle ait aussi le sien.
Elle l'avait déjà.
Apparemment il n'en avait pas changé depuis dix ans.
Apparemment il n'avait pas conservé celui de Tatiana.

« Comment va Olga ? » demanda Eugène, mollement,
       alors qu'ils jouaient des coudes pour arriver
jusqu'aux portiques.
« Oh, tu sais, normal. Elle a deux filles maintenant. »
« Ah, cool ! Ça fera des cousines au tien. »
Tatiana avait momentanément oublié l'histoire du badge.
Ce fut l'occasion d'un démenti :
              « Écoute, je suis pas du tout enceinte. J'ai acheté
              ce truc pour qu'on me laisse la place le matin
              dans le métro. »
       Eugène renversa la tête en arrière pour rigoler,
              mais ce rire le surprit, car il allait au-delà du rire ;
              il donna le sentiment à Eugène
              d'être
je ne sais pas, un perce-neige,
un aster,
l'une de ces fleurs qui cassent la croûte blanche de l'hiver,
              et respirent soudain l'air glaçant.
       Le rire de quelqu'un qui, jusqu'à ce rire-là,
              n'était pas tout à fait vivant.
« Je me disais aussi que tu étais un peu jeune pour une telle
responsabilité. »
       « On se sent toujours trop jeune pour quelque
responsabilité que ce soit,
dit Tatiana.
       Un chaton, un bonsaï…
                     Conserver son billet
                     jusqu'à la fin du trajet. »
       Elle soupira comme pour elle-même, « J'en suis aux
billets maintenant, j'ai pas renouvelé mon abonnement
Navigo, j'ai pas de fred en ce moment. »

« Pas de fred ? »

    « Pas de fric.

                        Putain,

je sais pas pourquoi

    j'arrive pas à parler aujourd'hui. »

« Mais pas de Fred non plus ? » osa Eugène.

« Pas de Fred non plus, non. Fred

                est une invention souterraine. »

Eugène sourit, hocha la tête, effaré de s'apercevoir

    que la simple idée

    de frôler Tatiana – la foule étant serrée – pour passer

    le portique

    lui foutait la trique

    comme s'il avait eu douze ans hier soir.

        « Passe devant, ce sera plus pratique. »

    Par sens de l'humour,

ou sans doute plutôt à cause du frottement de leurs manteaux

en laine,

la porte leur fila une décharge électrique.

    Tatiana planta son ticket de métro dans un ikebana

de détritus,

dégoûtante efflorescence d'une mini-poubelle-cendrier.

    Dehors, c'était la tornade habituelle

entre les quatre tours de la BnF.

    Par tous les temps,

    même en plein mois d'août,

    alors que la ville entière languit époumonée

    sous un soleil noir comme une bille de charbon,

les escaliers du promontoire sont balayés de typhons.

Il paraît que c'est un phénomène aérodynamique
lié au placement des tours.
Une petite gaffe architecturale.
                    Et tout le monde s'en plaint, tout le monde râle,
                            mais personne ne pense à la joie
                                    de ces quatre bâtiments
                            qui jouent au ping-pong avec le vent,
                    qui voient se soulever les jupes des étudiantes,
            qui font tourbillonner les feuilles comme des artistes.
                    La gaieté des uns rend les autres tristes.

        Eugène et Tatiana marchaient dans la tempête,
        et entre eux deux ricochaient et s'évitaient
        des coups d'œil vifs, rapides, électrisants,
                comme s'évitent et ricochent les crevettes
                    remuées dans le sable par un enfant.
        Ce petit jeu de regards aurait pu continuer longtemps,
mais quelqu'un vint s'interposer.
        C'était un homme grand,
                beau,
                        peut-être,
                si l'on trouve beau le froid du marbre,
                si l'on trouve beau le cuir des arbres.
                C'était un homme puissant,
                sensuel,
                        peut-être,
                si l'on trouve sensuel l'enlacement des cimes
                    par un muscle de nuages pâles.
Je crois qu'Edmund Burke appelle *sublime*
                cette beauté crevassée, minérale,
                cette beauté de la matière brute,
                qui effraie autant qu'elle attire.

« Quel plaisir, Tatiana ! Moi qui me demandais
        Si j'allais vous croiser aujourd'hui en ces lieux ! »
        dit cet homme-là, qui se trouvait être
        le directeur de sa thèse sur Caillebotte.
Tatiana s'empressa de le présenter à Eugène,
        mais celui-ci n'en attrapa que quelques bribes
                        Monsieur Leprince
                        grand spécialiste
                        de l'impressionnisme français,
        car il était très préoccupé par d'autre choses :
                        qui a découvert notamment
                        au sujet de Renoir
        les lèvres étoilées de gerçures roses
        de Tatiana, son menton comme agrafé
                                par une fossette,
        quelques poils de chat blanc sur son écharpe
                                framboise écrasée,
        sa posture arquée à gauche
                        et a été le curateur
                        de l'exposition au musée
                        du Luxembourg
du fait d'un sac apparemment très lourd
sans doute bourré de livres et de notes.
        « C'est très intéressant, » affirma Eugène,
qui n'en avait strictement rien à foutre de Caillebotte
        ou de Renoir
        ou de Monet
                        et a analysé
                        la correspondance de Degas
        ou de Degas,
                putain, Degas
        c'est que des ballerines à la con.

23

Histoire de participer quand même à la conversation,
        il dit : « Tiens, ça me rappelle que ça fait longtemps
que je suis pas allé au musée d'Orsay. »
        Sous l'effet du   vent,
                Eugène nota aussi que les cheveux de Tatiana
s'entrecroisaient,
        sombres et brillants,
en un maillage d'une exquise finesse.

                        Et que comptez-vous faire
                        aujourd'hui, Tatiana ?

        Il nota également qu'elle avait de très jolies dents
        petites, espacées, nacrées –
il ne les avait pas remarquées à l'époque.

                Attends,
mais elle avait pas un appareil dentaire, avant ?
        Avant : il y a dix ans, elle avait… Attends…
        Quatorze ans !
        Eh bien oui, c'est normal, quatorze ans,
        à quatorze ans t'es encore en phase de grands travaux.

                        Je vais relire le Valéry
                        comme vous me l'avez conseillé

Et là, tout a changé, ses dents, ses cheveux, sa peau.
Je me souviens comme elle était petite,
                comme elle faisait gamine.

                        Je l'ai mal fiché la dernière fois,
                        c'est toujours utile de revenir
                        à des sources qu'on croit connaître.

Et moi j'étais quasiment adulte, pensa Eugène,

                                        et soudainement
il se rappela, putain, j'avais dix-sept, dix-sept ans,
        dix-sept ans, putain, c'est de la science-fiction.

Ça a vraiment existé, cet âge-là ? Dix-sept ans !

C'est pas possible, dix-sept ans, c'est une invention,
C'est un âge qu'on a créé pour faire croire aux vieux
qu'ils ont été adolescents.

Il est tout à fait certain qu'en réalité,
personne au monde n'a jamais eu dix-sept ans.

Eugène, cependant, commença à s'apercevoir

Si vous avez besoin
de moi, passez me voir

que ce directeur de thèse sublime
au sens burkien du terme
comme si de rien n'était, tranquille,

car j'aime découvrir
votre excellent travail

était clairement en train de draguer Tatiana.

Lui aussi avait remarqué, c'était criant,
le lacis de cheveux qui se tissait avec le vent,
les dents écartées et blanches,

et il me tarde fort
d'aller vous écouter
à la journée d'études
de jeudi prochain

et il se demanda brutalement s'il ne se passait pas entre eux
quelque chose

dont il aurait dû être informé
avant de se rappeler que, ce matin même,
jusqu'à neuf heures moins le quart
il n'avait repensé à Tatiana que cinq ou six fois à peine
en dix ans,

et soudain, voilà qu'il réagissait comme un mari jaloux,
un Taliban,
une sorte de Barbe-Bleue,

un gros con de macho, le genre de mec qui passe à
la télé à une heure du matin
      pour expliquer qu'il supporte pas que sa femme
soit fan de Roch Voisine.

Il était cependant intéressant pour Eugène, qui n'avait guère
l'habitude de ce type de sentiment,
      de constater à quel point il était pris d'une très
      puissante envie de meurtre
      bien sanglant
      en observant cet homme sublime
      au sens burkien du terme.
            d'ailleurs, je crois savoir que vous avez commis
            un bel article accepté par Art History ?
Eugène eut subitement le besoin de le provoquer en duel,
        à l'ancienne.
      Si Lensky était là, il l'aurait secondé.
Putain, Lensky,
      il n'avait pas repensé à Lensky depuis des années.
            Faut que j'y aille, j'ai réservé
            un bureau pour neuf heures trente.
      C'était Tatiana qui venait de parler.
            Peut-être à un de ces jours, Eugène.
Tatiana partait.
Elle avait réservé un bureau pour neuf heures trente.
            La bibliothèque m'attend !
La bibliothèque l'attendait.
            C'était chouette de te revoir.
            C'était très chouette.
C'était chouette, très chouette.
Une bise, deux bises, odeur de froid, de cigarette,
de bergamote.

Je retourne à mon Caillebotte.

Quel nom à la con, Caillebotte. Vraiment un nom à la con.
Il regarda Tatiana
      descendre
            les escaliers
                  dans la grande bourrasque
                        de l'erreur architecturale.

      Alors qu'Eugène s'apprêtait à partir, un peu aplati
de fatigue et de tristesse,
      l'homme sublime au sens burkien du terme s'adressa
soudainement à lui.
      Il lui dit de sa voix gutturale,
            le genre de voix qui passe sur France Culture,
            le genre de voix avec de la friture,
            des cordes vocales perlées de nodules,
une voix qui donne envie de lui brosser les amygdales,
il lui dit :
« Et comment avez-vous rencontré Tatiana,
Monsieur ? Je ne crois pas qu'elle m'en ait parlé. »
      « J'étais l'ami du copain de sa sœur Olga, »
      répondit Eugène, s'efforçant d'adopter
      le même rythme, mais se trompant de tempo.
« Ah ! Une véritable et longue amitié !
Je ne vous apprends rien, alors, en vous disant
Qu'elle est le plus charmant point d'orgue à ma carrière ;
De la masse indistincte de mes doctorants
Elle émerge, semblable à la vive lumière
Que jette le blanc phare aux crêtes de la mer
Ou la tendre luciole agrippée à la pierre
Ou dans la nuit profonde un feu incandescent… »

« Mais qu'est-ce qu'il raconte ? s'interrogea Eugène.
C'est une déclaration d'amour en public !

En direct !

Il pourrait tout aussi bien s'époumoner,
J'aime Tatiana ! J'aime Tatiana ! J'aime Tatiana !
Il est fou ou quoi ? Pourquoi me dire ça à moi ?

Il me torture. »
Cette idée le surprit par sa force et son évidence.
« Le salaud.

Il me torture. »
L'autre continuait avec sa voix de France Culture :
« J'avais tout oublié des plaisirs de l'esprit,
Je songeais calmement aux jours de ma retraite,
Quand un jour Tatiana, surgissant dans ma vie,
A vaincu mon ennui... »

« Lensky était poète,
songea Eugène, lui.
Pas comme d'autres.
Pas comme ce salaud de Leprince.
Est-ce qu'il couche avec elle ? »
À neuf heures trente-cinq du matin, en toute logique,
cette question n'aurait pas eu lieu d'être.

Mais à présent il n'y avait rien de plus important
au monde.
C'était une question centrale.

« Est-ce qu'il couche avec elle ? »
Eugène découvrit qu'il avait aussi d'autres questions.
Des centaines de milliers de questions,
qu'il se posa fiévreusement pendant que
Leprince continuait
à lui débiter sa grande déclaration d'amour
en alexandrins rimés.

Elle ne m'a pas demandé ce que je fais, moi, dans la vie
est-ce qu'elle s'en fout
                              est-ce qu'elle m'en veut encore
          ce ne serait que justice après ce que je lui ai dit
est-ce qu'elle couche avec lui
                    qu'est-ce que je lui ai dit exactement
je me souviens même plus maintenant
chère Tatiana
non même pas *chère* à mon avis j'ai même pas dit *chère*
j'étais un petit con à l'époque
                              j'étais à peine moi à l'époque
          est-ce qu'elle a repensé à moi récemment
est-ce qu'elle m'a reconnu directement
                    pourquoi elle a changé comme ça
                    est-ce qu'elle a tant changé que ça
est-ce qu'elle était aussi jolie avant
est-ce qu'elle était aussi brillante avant
est-ce que c'est son appareil dentaire qui m'avait caché
son âme
          est-ce que trente-cinq minutes ça suffit pour tomber
amoureux d'une femme
ou retomber amoureux
          est-ce que j'étais amoureux d'elle   à l'époque
          est-ce que j'avais une subjectivité   à l'époque
est-ce que j'étais vraiment un être humain   à l'époque
          est-ce qu'il y avait quelque chose dans ma cervelle
est-ce qu'il couche avec elle
est-ce qu'il couche avec elle ?
          je me souviens plus de ce que je lui ai dit ce jour-là
     si seulement je me rappelais les mots exacts
que je puisse m'en expliquer
                    peut-être qu'elle attend des excuses

mais j'allais pas lui sortir des excuses comme ça
dans le métro
cinq minutes après l'avoir retrouvée
est-ce que je suis en train de m'emballer

                                    pour rien
est-ce qu'elle était déjà aussi belle
est-ce qu'elle avait déjà autant d'esprit
                        est-ce qu'elle couche avec lui
est-ce qu'on remarquerait si
je ratais l'enterrement de mon grand-père ?

        oui
        probablement
à mon avis Maman remarquerait
d'autant plus que je suis censé faire un discours
        merde
        si je cours
                        est-ce que je peux la rattraper
est-ce qu'elle est déjà dans la bibliothèque
est-ce qu'elle attend que je la rappelle
                    est-ce qu'il couche avec elle

        Enfin,
        des milliers de questions
        avec lesquelles nous laisserons
        (pour l'instant)
        notre Eugène se débrouiller.
                Car il est temps d'un bref rappel des faits.
                Il est temps de revenir
                à peu près dix ans
en arrière,
                à l'époque où tout a commencé.

2

Tout a commencé

    dans une banlieue parisienne feuillue,

    pas très aisée mais pas trop indigente non plus,

    dans une maison blanche

    qui ressemble à la maison Playmobil.

Là vivent tranquilles

Tatiana et sa grande sœur Olga,

avec leur mère.

La quatrième personne de ce drame domestique

est le fils des voisins.

Il s'appelle Lensky, de son vrai nom Léonard.

Il fait des vers,

    du slam.

Une sorte de rap mais moins rapide,

    une sorte de poésie mais en musique.

Une poésie que les adultes ne trouvent pas poétique.

    Hé bien, mon Léonard, c'est pas du Rimbaud ton truc.
C'est pas du Verlaine.

    Notre fils fait une espèce de rap. On espère qu'il va un jour
apprendre ce qu'est un alexandrin.

    « Ça lui passera, » disent les voisins.

Donc Lensky fait du slam qui n'est ni du Rimbaud

ni du Verlaine.

Lensky couche avec Olga et Olga l'aime.

Et Lensky aime Olga autant qu'elle l'aime.

Ils ont dix-sept ans. Lensky écrit à Olga

des déclarations d'amour aberrantes.

Je les ai précieusement gardées, car elles me plaisent bien.

Elles sont marrantes.

Mais pas seulement.

Elles ont cette douce disgrâce des choses

qu'on trouvait belles avant,

cette saveur aigrelette des paroles que l'on regrette

quelques années plus tard.

Ces grands serments,

ces gigantesques promesses, ces phrases folles,

ces métaphores qui nous font après coup

crisser des dents,

ces monstrueuses hyperboles,

ces anaphores ridicules,

et qui pourtant alors nous paraissaient si vraies, si belles,

que nous pensions nous être coulé en elles

jusqu'à n'avoir plus d'autre corps

que les courbes de leurs majuscules,

et d'autre réalité que les murmures,

et les mouvements des lèvres,

de celui

ou celle

à qui elles étaient destinées

et qui les lisait quelque part

roulant sur sa langue nos r et faisant frissonner nos f…

Il nous semblait alors que nous n'étions rien de plus

et rien de moins

que ce souffle chaud : la sculpture de nos mots

ouvragée par ces lèvres.

« Je t'aime, Olga, je t'aime ! »

(Ainsi commencent
la plupart des messages de Lensky.)
    « Je t'aime comme le fou furieux aime sa folie.
Tous les jours, toutes les heures, toutes les minutes, toutes
les secondes, il n'y a que toi pour moi au monde. Je pense à toi
depuis les toits où je regarde la ville. Il n'y a que toi dans les
nuages où le soleil s'entortille. Depuis ces jours heureux où
nous courions ensemble… »
        (Contrairement à ce que disaient ses parents, il peut
faire des alexandrins. Les parents sous-estiment trop souvent
leurs enfants. Encore plus souvent leurs ados. Lensky,
de fait, a lu Rimbaud.)
        « … dans le jardin mitoyen, quand on était petits,
        il n'y a jamais eu que toi dans ma vie. Tu es l'essence
        de mon existence. Tu es ma plus grande impatience.
        Je vis de toi comme le poète vit de ses vers. Je vis de
        toi comme l'alcoolique vit de ses verres. Je t'aime,
        je t'aime, Olga, et jamais nous ne serons séparés, car
        je mourrais plutôt que de toi m'éloigner. »
Il lui écrit ces mots sur papier,
par email, par messagerie instantanée, par texto,
(plus rarement, car on est en 2006 et le texto coûte cher)
et les lui murmure aussi en direct, sur l'oreiller,
        peau contre peau,
ventres encore poudreux de fluides génitaux,
dans la chaleur inconfortable, juste sous le toit,
de la petite chambre d'Olga.

        À l'étage en dessous, Tatiana, quatorze ans,
                lit,   lit,
lit,   lit,   lit,   lit,   lit,
                lit,   lit,
            lit,

35

des histoires des sœurs Brontë, de Jane Austen,
de Zola, de Boris Vian, d'Aragon, de Shakespeare,

Orgueil et préjugés,
Les Hauts de Hurlevent,
Roméo et Juliette,
Autant en emporte le vent,
L'écume des jours,
Au bonheur des dames,
(etc.)

et en lisant,
s'imagine des amours trépidantes,
et soupire à s'en fendre l'âme.

C'est du moins ce que je me plais à envisager.
Tatiana est une jeune fille très à l'ancienne.
Je l'imagine s'imaginant un homme peu amène,
voire sombre et même cruel au début,
le genre d'homme qui a vécu
des choses qu'on ne sait pas,
mais cet homme-là, rencontrant Tatiana,
sous l'effet de sa beauté et de sa vertu
se verrait infusé d'un perplexe et vibrant amour,
auquel feraient obstacle bien des aventures
et des péripéties,

y compris la plupart du temps une sorte de tentative
de viol par un autre homme qu'au départ elle aurait
trouvé assez charmant ; tentative de laquelle elle serait
sauvée, *in extremis*, hymen toujours en condition
optimale, vêtements un peu déchirés mais cachant
adroitement ses tétons,

par l'homme qui l'aime,
et ils partiraient main dans la main pour être mariés

mais

inévitablement

il aurait déjà été marié avant

(union évidemment arrangée,
car jamais, avant Tatiana, jamais, il n'aurait jamais aimé
qui que ce soit.

Jamais.

Tatiana, ce serait la première fois.)
Et sa première épouse toujours vivante
(qu'il détesterait, donc)

reviendrait essayer de les tuer

tous les deux –

mais sans y parvenir. Car le mari
de Tatiana l'affronterait, d'abord avec facilité, sauf
qu'à cause d'une erreur d'inattention, il serait touché
et se mettrait à perdre beaucoup de sang ; Tatiana,
courageuse et pleine d'astuce, ferait tomber sur la
tête de la femme un lustre ou un baldaquin, avant
de garrotter son mari avec un lambeau arraché à
sa robe pour faire cesser le saignement.
Son mari plein d'admiration lui répèterait qu'il l'aime.

À partir d'un tel thème,
on peut multiplier les variations.
Tatiana n'a qu'à faire marcher son imagination.

Au collège Alexandre-Pouchkine où elle va tous les jours,
Tatiana ne trouve personne digne de son amour.
Ça ne risque pas.

Les garçons sont beaucoup trop bêtes.

                ce qu'ils sont bêtes les garçons   ils sont bêtes
                    ils embêtent tout le monde   ils mettent les mains aux fesses
ils sont immatures   ils se la pètent
            ils rient bêtement   y a que ça qui les intéresse
                        ils pensent qu'à ça
                        ils ne pensent absolument qu'à ça
                            ils sont ridicules

Ses amies lui ont parlé de la descente de testicules.

     À leur avis à toutes, il n'y a pas encore eu descente.

toute façon c'est un fait que les filles sont plus intelligentes.

Mais un jour

     tout se bouscule.

     Un jour arrive Eugène dans la banlieue feuillue.

D'où vient Eugène ?

     Eugène vient d'un milieu très aisé,

une famille   désormais parisienne   mais à l'origine

aristocratique   du Nord   catholique   traditionnelle.

Eugène est le benjamin de trois sœurs.

Il a fait plusieurs écoles privées.

Il n'est pas ce que l'on pourrait appeler

                    un bon élève,

    quoi qu'il ait, affirme-t-on, des « facilités »,

     c'est-à-dire que ses parents caressent encore le rêve

qu'il se sorte un jour les doigts du cul

(j'emploie là le vocabulaire de son père)

qu'il découvre la valeur du travail et de l'effort

(là celui de sa mère, qui est moins crue)

et qu'il passe son bac et ensuite un concours national.

             Eugène leur oppose un silence glacial.

Il a le mal d'un siècle qui n'est pas le sien ;
Il se sent l'héritier amer d'un spleen ancien.
Tout est objet d'ennui pour cet inconsolable –
Ou de tristesse extrême, atroce, épouvantable.
Il a tout essayé, et tout lui a déplu.
Il a fumé, couché, dansé, mangé et bu,
Lu, couru, voyagé, peint, joué et écrit :
Rien ne réveille en lui de plaisir endormi.
Souvent, il imagine, au rebord du sommeil,
Dans un futur lointain l'implosion du soleil.
Puisqu'un jour tout sera cette profonde absence,
Pourquoi remplir en vain notre vaine existence ?
Pourquoi se dépenser en futiles efforts
Dans un monde acculé au couloir de la mort ?
Qu'ils sont laids et idiots, ceux qui se divertissent,
Ceux qui se perdent en labeur ou en délices,
Ceux qui travaillent, ceux qui aiment, ceux qui chantent,
Pour oublier le vide intense qui les hante !
Eugène, à dix-sept ans, a tout compris sur tout :
Et comme tout est rien, il ne fait rien du tout.

        L'été d'entre sa première et sa terminale,
au comble de l'ennui,
        Eugène rumine ses options :
   - suicide
   - passer ses vacances chez Lensky.
Après mûre réflexion, il se décide
      pour la seconde.
Lensky est son seul ami au monde.
Il l'a rencontré sur un forum et puis dans la vraie vie.
        Eugène l'aime bien parce que
    Lensky lui aussi vit   à distance
de ce qu'on lui impose.

Il vit métaphoriquement. Il ne se préoccupe jamais
des choses, il ose
  la transcendance,
  l'amour fou,
la création, le drame, le lyrisme.
Il vit d'optimisme et d'excès.
Eugène se retrouve en lui comme inversé.
  Donc, début juillet, Eugène déclare à ses parents
  dans leur appartement du huitième arrondissement
  qu'il a pris une grande décision :
      il va passer l'été avec Lensky
  au lieu de le passer dans un cercueil.
  Sa mère, piquée sur un fauteuil
Louis XVI bleu,   ne peut qu'approuver ce choix.
  On préfère généralement savoir son fils
  quelque part en grande banlieue
  plutôt que rangé dans un tiroir du caveau familial.
  Et puisqu'il a l'air de bonne humeur, elle lui précise,
      « Je t'ai acheté les annales
de Sciences Po, tu les prendras dans ta valise. »

Débarqué chez Lensky, Eugène s'aperçoit rapidement
que son ami n'a ces jours-ci qu'une seule chose en tête,
un seul mot guttural et obsédant :
Olga Olga Olga Olga Olga Olga Olga Olga Olga Olga Olga
  Bien qu'Eugène trouve tout amour parfaitement bête,
  il adore voir Lensky si possédé d'Olga.
  Il adore se dire que le soleil un jour engloutira
  jusqu'à cet amour-là, qui est si pur, comme du citron,
si clair comme un reflet de fenêtre ;
cet amour-là qui défie la raison,
il sera englouti aussi.
     Eugène est ravi.

C'est pour lui la preuve ultime
de l'absolue insignifiance de l'être.

Le lendemain de l'arrivée d'Eugène, Lensky le convainc
          de l'accompagner chez Olga pour la rencontrer
                    car ils s'entendront forcément bien
          et surtout parce qu'il veut l'entendre dire qu'Olga
          est la plus belle,
          la plus miraculeuse, la plus étincelante,
          (et aussi parce que ça fait depuis avant-hier
          que Lensky n'a pas couché avec elle
          et que la pression devient lancinante).

          Eugène n'attend pas grand-chose de cet entretien,
          mais ni plus ni moins
                    que de la vie en général.
Pour faire plaisir à Lensky, il se dessine un visage normal,
il enfile un 501, des Converse blanches, ses fines lunettes
en écaille.
          Il bâille.
                    Puis sort avec Lensky dans le jardin.
          Dans celui d'à-côté les attendent Olga et Tatiana,
Tatiana vissée à un bouquin comme d'habitude,
Olga jupe-culotte sandalettes magazine.
          « Mesdames, »
          salue Lensky, qui leur fait une courbette,
          puis un baisemain à Olga, et la bise à Tatiana,
et leur présente Eugène, lequel affirme qu'il est enchanté
de les rencontrer.
          « Je suis vraiment, vraiment enchanté, » dit-il,

lui qui n'a jamais été enchanté par quoi que ce soit,
et certainement pas par le spectacle, éprouvant
de banalité,
de deux jeunes banlieusardes, dans leur jardin, l'été,
sirotant du Coca, croisant et décroisant leurs grandes et
maigres jambes,
avec en fond sonore le grésillement des abeilles
sous une gigantesque perruque de lavande
qui coiffe un parapet.
Tout cela aussi sera englouti par le soleil.

Pendant que Lensky déclame à Olga, dans un coin
du jardin, son dernier poème,
(« Je t'aime, Olga, je t'aime ! »)
Eugène se croit obligé par politesse
d'aller parler à Tatiana – qui, elle, serait tout à fait heureuse
de continuer à bouquiner.
« Qu'est-ce que tu lis ? » demande-t-il.
C'est *La princesse de Clèves*.
L'un des livres les plus chiants au monde, selon Eugène.
« Je l'ai pas lu, prétend-il, tu me racontes ? »
Tatiana, en bonne élève,
qui l'a lu dix fois, lui fait un résumé passionné des amours
non consommées
(« *C'est vrai qu'en plus y a même pas de cul dans ce livre,* »
se rappelle Eugène)
de la princesse de Clèves et du duc de Nemours.
Ayant ainsi réussi à faire passer dix minutes
– finalement pas si longues d'ailleurs,
quand il y pense –,
Eugène estime que c'est à son tour de divertir la jeune
fille, et commence

à lui raconter un peu sa vie, avec tout le charme dont il est capable,
et quelques exagérations abominables.

« Je me suis échappé de Paris, où mon oncle vient de mourir. »

« Quelle horreur ! Je suis désolée, »
intervient (bon public) Tatiana.

« Ne sois pas désolée,
tout le monde n'attendait que ça.

On a passé des mois à tapoter ses oreillers,
à lui apporter tous les soirs

tasse après tasse de lapsang souchong –

le thé qui sent le saumon fumé, tu visualises ?

Le mec était PDG d'une entreprise
d'extraction de pétrole
responsable de treize ou quatorze marées noires,

il a donc tué des familles entières de goélands et de pingouins et d'autres créatures aquatiques, probablement toutes mignonnes.

Des phoques, Tatiana, des bébé phoques ! Ce mec a asphyxié des bébés phoques avec ses propres mains. On ne peut pas regretter quelqu'un qui passe son temps à comploter la mort d'animaux marins.

Et comme c'était un homme fondamentalement despotique
il a exigé pendant son agonie
(qu'il a fait durer d'une manière
franchement inconvenable)
que chacun de ses cousins, neveux,
nièces, petits-enfants,
vienne lui rendre visite et lui dise des mots gentils
alors qu'il avait passé sa vie à être imbitable.

On parle là d'un mec, Tatiana, qui m'a offert une trousse
de toilette pour mes neuf ans.

> À carreaux. Couleur sable.

Un homme qui offre une trousse de toilette à carreaux
couleur sable à un enfant. »

Écoutant ces mots, notre Tatiana est partagée intensément
entre l'horreur   et la fascination,
> mais se décide très vite pour le second sentiment
> qui a l'avantage de correspondre aussi
> à ce qu'elle ressent
> lorsque son regard trébuche
sur le visage escarpé d'Eugène,

> califourchon de lunettes, nez accidenté,
sourire épinglé à gauche,
> des yeux très beaux,
très bleus   – bleu russe,   décide Tatiana,
le bleu des palais russes dans leur coussin de neige blanche.

> Elle note la manière dont il croise les jambes,
un tibia qui repose
sur le genou de l'autre jambe, et d'autres choses,
les avant-bras triangulaires qui dépassent de ses manches ;
les garçons de son âge

> *ce qu'ils sont bêtes les garçons*

ont des avant-bras fins comme des bâtons,
des avant-bras comme des tuyaux de plume de pigeon.

> *ce qu'ils sont moches les garçons*

Et encore autre chose, ses mains :
> une bretelle d'autoroute de ligaments.
Pas les mains rondes et infantiles des garçons de sa classe,
> *ce qu'ils font bébé*
pas ces mains de baudruche, ces mains de caoutchouc,

mais des mains construites, structurées, stratégiques,
des mains dont on voit toute la mécanique.
Et le long de tout cela, de ses mains, ses bras, son cou,
sa peau est tressée de racines
bleutées, opalescentes, noueuses.

(Je pense qu'à ce moment-là on peut estimer
que notre adolescente est amoureuse.)

Eugène et elle continuent à bavarder
pendant que Lensky fabrique je ne sais quoi avec Olga ;
et Tatiana, qui adore désormais sa présence,
et qui voudrait qu'il reste pour toujours,
a en même temps hâte qu'il reparte : elle trépigne
d'impatience
à l'idée de se cloisonner dans sa chambre, seule,
étouffant d'amour,
et de s'adosser à la fenêtre,
libre, enfin, de s'imaginer avec lui.
Ce qui est paradoxal, puisqu'elle *est* avec lui.
Mais c'est comme s'il fallait qu'il parte pour mieux l'être.

Enfin les deux amoureux sont de retour,
Lensky allégé, souple, et Olga tiède et rose,
tous deux calmes, adoucis, comme émoussés par
leur amour.
Tandis qu'ils se servent une cataracte de Coca,
Tatiana ose
demander à Eugène s'il est sur *msn*.
Il lui donne son adresse tout en s'épouvantant d'imaginer
qu'elle l'utilise.
« Slt Eugène, c Tatiana, sava ? ☺ »

Un smiley. Ces choses-là sont la hantise
d'Eugène. Il en a une sorte de phobie ;
il s'efforce de se rappeler qu'ils seront aussi engloutis par
le soleil,
ces espèces d'émotions inabouties,
            ces balbutiements de pixels,
    mais il a un cauchemar récurrent où, par pure ironie
tragique,
            ces petits personnages et leurs mimiques,
uniques survivants de l'Apocalypse, dérivent, seuls,
        flottants, dans un univers de plasma liquide,
        riant bêtement,
        ou faisant à tout jamais la gueule.
Cependant, qu'il se rassérène :
Tatiana ne compte pas parler avec Eugène, jamais,
        encore moins l'ajouter sur *msn* ;
        l'adresse
n'est qu'un accessoire pour son petit théâtre imaginaire,
        elle sert
        seulement à décorer un coin de rêve épais,
        rupestre et confortable
        où il serait *possible*   mais pas envisageable,
de discuter avec Eugène toute la soirée
et qu'il soit heureux de discuter avec elle.
        Grâce à l'adresse, elle peut se dire que c'est de l'ordre
        du réel,
        sans avoir rien à réaliser.

        Ainsi Tatiana rentre-t-elle à la maison
        tordue d'impatience ;
        il reste encore
                    quatre heures
                            avant l'heure du coucher.

46

Au dîner, Olga elle aussi est perdue dans ses pensées ;
elle réfléchit

        à Lensky qui vient de s'en aller,

        et à l'après-midi qu'ils ont passé,

        mais surtout au fait qu'il n'a pas répondu

        à ses nombreux textos le reste de la soirée.

Elle sait qu'il sort sur Paris avec Eugène ce soir.

Peut-être – *peut-être* – qu'il n'a pas reçu ses textos à cause
du manque de réseau dans le RER ?

        On va lui laisser, se dit-elle, le bénéfice du doute.

Cependant

        il est presque plus probable, pour Olga,

        qu'il soit déjà trop occupé à choper une autre fille
par exemple dans les toilettes d'un bar,

        ou contre une colonne Morris, à la hussarde, ou
dans une ruelle dégoûtante, voire dans un hôtel scabreux
de Pigalle.

        Olga a toute une batterie d'adultères imaginaires
à disposition,

        et se représente très efficacement les râles
et les diverses positions

des deux –   voire trois,

        s'il est du genre à serrer deux filles à la fois.

Comme cela fait une heure et dix minutes qu'il n'a pas
répondu à son dernier SMS,

      Donne-moi de tes nouvelles bébé !

Olga commence à se dire qu'à cette attente, elle préférerait
nettement

        apprendre au JT

        qu'il est tout simplement mort broyé dans
un déraillement du RER

        ou explosé par des terroristes.

Ainsi la jalousie d'Olga lui vocifère-t-elle d'audacieux scénarios, alternativement salaces et morbides ;
(Elle apprendra plus tard qu'il avait oublié son téléphone à la maison).

Et de son côté, Tatiana, blanche de hâte,
crispée de retenir une si grande diarrhée de rêveries,
n'attend qu'une chose : être au lit.

Les deux sœurs sont donc pour leur mère
de très agréable compagnie.

Pendant ce temps,
dans le train qui les emmène Gare du Nord,
Lensky parle d'Olga, sans obtenir d'Eugène davantage que quelques bribes de phrases, et même
un très indifférent silence,
comme si son ami trouvait banale la fille qu'il aime.

Lensky, n'en pouvant plus, se lance :

« Alors, alors,
vieux,   dis,
vas-y, dis,   dis,
tu la trouves comment, toi ?
Olga,
je veux dire   je sais que c'est pas ton truc à la base,
les filles, que t'es –   que t'as décroché, tout ça,
mais   sérieux
vieux
dis-moi, tu la trouves comment Olga ? »

Eugène a un esprit à balancier.

Il aime beaucoup Lensky,   mais aussi la vérité.
L'un exige la compassion,   l'autre l'honnêteté.
          Il croit d'abord s'en tirer d'un faiblard :
                                        « Olga ? Elle est sympa.
Ouais, mec, elle est très sympa et tout. »
                              « Et tout ? Tu la trouves belle ? »
« Elle est, franchement, elle est bien. »
               Elle a les jambes au bon endroit.
               Elle a le bon nombre de doigts.
               Il ne lui manque aucune oreille.
Eugène se déteste un peu d'être incapable d'hypocrisie.
          Lensky tripote la roulette de son iPod mini.
          « Mais tu sais, dit Eugène,
je l'ai pas beaucoup vue :
j'étais surtout avec Tatiana, cet après-midi. »
« C'est vrai, murmure Lensky,
tu t'es coltiné la gamine, désolé.
               J'aurais dû te laisser plus parler avec Olga,
          tu aurais vu,
          t'aurais compris… »
                              « T'excuse pas,
répond Eugène, non, franchement – et cette fois-ci,
          c'est comme s'il voulait vraiment être franc –,
franchement, c'était pas désagréable, elle est pas
                              désagréable,
Tatiana,
          franchement je me dis, si j'étais toi,
                              des deux sœurs,
          franchement je sais pas laquelle j'aurais choisie. »

                              Silence, puis le train crisse.
          Annonce inaudible ; colis suspect
          ou incident voyageur.

Lensky est très occupé
à délier les fils de ses écouteurs.
Eugène se rappelle soudain le plateau « compassion »
de sa balance intérieure :
« Mais attention,
attention, mon gars,
je ne dis pas que tu as fait le mauvais choix.
Je dis juste
que Tatiana   n'est pas   désagréable. »
Cette compétition olympique de rame,
ce championnat international d'auto-enlisement,
ce record planétaire de ratage de compliment
s'achève dans le silence gris de Lensky
qui jusqu'à son deuxième mojito, une heure plus tard,
restera absolument irréchauffable.
Et puis le rhum, le sucre, la menthe, le citron vert,
la glace pilée,
lui font retrouver son âme généreuse, joyeuse,
amoureuse, de poète de dix-sept ans.
Il se souvient que c'est justement ça qui l'a séduit
chez Eugène :
c'est un garçon qui dit ce qu'il pense.
Tant pis s'il n'aime pas Olga.
Lui l'aime et ça suffit.

Alors ils dansent,
et Lensky flanque une grande claque dans le dos d'Eugène
en dansant.
Eugène oscille sur la piste, un daiquiri à la main,
pas le roi du moonwalk, pas maladroit non plus ;
le mec qui danse comme il ferait à une vieille tante un résumé
de ses vacances :
efficace mais sans passion.

(Pendant les années à venir, dans ses rares moments
de méditation
sur lui, sur Lensky, sur les deux filles,
sur cet été-torpille,
cet été qui a tout gâché,
                    Eugène se rappellera souvent ce silence
                    durant le trajet en RER,
                    ce Lensky de chêne dans le wagon,
                    la peau pâte à mâcher,
                    regard enroulé dans les écouteurs
                    qui s'entortillent.
Ce silence, avec le recul,
lui apparaîtra comme s'immiscent
dans les tragédies classiques les prémices
du grand final ;
un frimas qui annonce un hiver de silence.)

                On appelle ça de l'ironie tragique. Je le signale
                    pour que vous appréciiez à quel point
                        cette histoire est bien ficelée ;
                            à quel point la réalité veille
                        à respecter les lois de la fiction.
                    Je peux le dire sans me vanter ;
                        ce n'est pas moi qui l'ai inventée.
Quant au pourquoi du comment de cet hiver de silence,
    de cette fontaine bientôt tarie,
        de ce Lensky à tout jamais en niveaux de gris,
nous y reviendrons.
        Pour l'instant,
                Lensky est heureux,
                Eugène, indifférent,
et Olga et Tatiana picorent leur dîner en pensant à eux.
                    Tout va donc à peu près pour le mieux.

51

L'été se poursuit, et tous les jours ou presque, les deux garçons rendent visite aux deux filles.

Pendant une heure,
Lensky et Olga filent sous les toits,
et Eugène est coincé avec Tatiana.
Ce qui n'est pas un problème en soi,
puisque Eugène trouve, je vous le rappelle,
que Tatiana n'est *pas désagréable.*
Il se rend donc présentable,
et comme il peut être absolument charmant
quand il le veut,
et qu'il le veut
souvent
quand il est avec Tatiana,
ces après-midis ont tout pour elle de la visite
d'une créature magique et sensuelle,
faune, centaure ou prince,
suivant toujours le même rituel :

La porte du jardin en fer forgé
grince
sur ses charnières ;
Olga décroise ses jambes bronzées,
minces,
met sa main en visière ;
Lensky est le premier à arriver, tous les quatre échangent
des banalités,
et Lensky et Olga partent car elle a
quelque chose de marrant à lui montrer.

Alors Tatiana doit se résigner à abandonner ses fantasmes
d'Eugène
                    pour leur substituer
                              Eugène en sa réalité.

                    Ils s'installent dans l'ombre dentelée d'un arbre,
                                        et parlent. C'est tout.
          De littérature, de cinéma, de musique, de poésie,
mais surtout du monde en général, et à travers lui,
de leurs sentiments, un peu, peut-être.
          Ils commencent doucement à se connaître.
Au début ils sont maladroits comme des feuilles,
Tatiana friable, Eugène fanfaron,
ils se bousculent dans leurs conversations, ils n'arrivent
pas
     Mais toujours   *Je pense*   exactement   *Non vas-y*
     Non non toi tu disais   *Oh je disais juste*
                                        à se synchroniser,
Eugène veut toujours en dire plus,   Tatiana, moins ;
                              elle traversière, lui basson,
          il lui discute dessus, elle lui murmure dedans :
          au début ils se parlent à contretemps.
Et puis petit à petit, comme dans un jeu de mikado,
avec d'infinies précautions,
ils apprennent à ôter,   une   par   une
          l'une après l'autre,
les frêles épines enchevêtrées de leurs idées instables,
          légères, piquantes,
          et certaines tombent et roulent,
          d'autres parfois se superposent,
          et certaines, ils les réutilisent
          pour en soulever d'autres.

                              53

Peu à peu aussi ils s'apprivoisent, se prédisent :
Tatiana apprend les doubles fossettes
   qui précèdent chez Eugène une citation,
   comme pour mettre des guillemets à ses lèvres ;
   elle les guette, annonciatrices de vers
   et de phrases envoûtantes

Et ton esprit n'est pas un gouffre moins amer Un coup de dés
  jamais n'abolira le hasard La vie c'est ce qui arrive
pendant qu'on est en train de faire d'autres projets Tes yeux
  sont mon Pérou ma Golconde mes Indes Un enfant,
   ce monstre que les adultes fabriquent avec leurs regrets

Eugène en connaît des dizaines ; zèle d'une mémoire facile,
une mémoire en pâte à modeler, qui garde l'empreinte de
tout ce qui s'y pose ;
généralement il use de cette faculté pour briller en société,
   mais avec Tatiana, c'est différent ; ce qu'il aime,
quand il cite,
   ce n'est pas qu'elle soit impressionnée,
   ce n'est pas ça, c'est
   le fait qu'elle prend du temps pour y penser,
   à ces phrases, elle les attrape et les examine ;
ces citations qu'il lui livre encore dans leur coquille,
elle les lui rend décortiquées.

Or, quand Tatiana réfléchit à voix haute, elle le fait souvent
(c'est une drôle d'habitude) en posant un insecte sur le dos
de sa main ;
   une coccinelle, une fourmi, un scarabée,
            n'importe quoi :
elle s'empare mécaniquement des bestioles qui passent,

et elle parle, concentrée, en les regardant trottiner,

passant de main en main en main, la peau, la peau
toujours recommencée.
Eugène regarde Tatiana regarder l'insecte, se demande
ce qu'elle trouve à ce minuscule marathon,

à la chatouille de ces toutes petites pattes ;

peut-être que cette opiniâtreté,

ce fonçage en ligne droite,

cette éternelle et rectiligne décision,

l'aide à tracer la route de ses idées à elle ?

Ses idées,

ce sont celles de quelqu'un qui ne pense pas

à l'implosion du soleil,

et il y a donc bien des choses qu'elle espère

et qui l'apeurent ;
Eugène aime sa manière cahotante de les présenter.

*Mais tu vois l'autre jour ma tante me dit qu'il fallait
profiter de sa jeunesse, mais moi je trouve ça angoissant c'est un
peu artificiel je ne sais pas pour toi, mais moi, je ne peux pas faire
exprès de profiter, ça arrive par accident pas toi, c'est plus tard que
je me dis que ce moment-là a été important pour moi mais dans
le moment je me suis pas concentrée pour qu'il le soit, je trouve ça
angoissant pas toi*

Eugène, depuis longtemps, ne trouve plus rien
angoissant

ni, d'ailleurs, digne qu'on en profite,

mais pour une raison ou pour une autre, il ne veut pas
désillusionner Tatiana,

lui dire que ses inquiétudes sont une perte de temps,
ses rêves des fables :

charitablement,   il la laisse penser que tout cela
est important.

Une seule fois, une seule, il s'est laissé aller,
la fois où elle lui demande :
           « Qu'est-ce que tu voudrais faire plus tard ? »

Cette question l'agace, il lui répond qu'il s'en fout pas mal,
il veut rien faire de spécial,
           « Plus tard ce sera toujours le même ennui,
           le même cafard. »
Cela étonne Tatiana, « Mais Eugène, tu veux forcément,
je sais pas,
faire quelque chose qui te plaise ou t'épanouisse ? »
                « Rien ne me plaît. »   « Rien ? »
« Rien ? »   Le visage de Tatiana s'affaisse.   « Rien. »
Même discuter ici avec moi ? se demande-t-elle sans oser poser
la question directement,
                tu t'ennuies ici avec moi ?
« Mais… parler avec   des gens, ou alors voyager… »
Eugène s'emporte un peu, « Tous les gens, tous les pays
                ont leur ennui, tu sais, les Anglais le *spleen*,
           les Russes la *khandra*,
           ce n'est pas pour rien : ça nous empare partout pareil,
on ne fuit pas
           l'ennui, ce n'est pas un lieu dont on s'échappe. »

                Tatiana ne soupçonnait pas
           ce grand néant chez Eugène,
                il l'avait caché jusque-là.
Elle se tait.   Cela veut-il dire qu'il est dépressif ?
                                        Suicidaire ?
           elle a entendu parler de gens qui n'aiment
plus rien.   Cela veut-il dire que   tout ce temps
avec elle
           il a réprimé des bâillements gigantesques ?

56

Eugène la regarde s'inquiéter,
                              s'émeut   un peu
qu'elle s'inquiète, et curieusement se sent coupable,
ce qui chez lui n'est pas un sentiment très courant ;
il s'adoucit, lui lance une plaisanterie ou deux,
            lui raconte qu'en vrai il veut en effet voyager,
            voir la Terre de Feu,
(mensonge total),
                        mais qu'il ne sait pas ce qu'il veut
                        faire plus tard comme métier,
            ses parents le soûlent avec ça,
                        et du coup ça l'énerve
(excuse bidon),
            mais bien sûr qu'il ne s'ennuie pas toujours
(bien sûr que si),   là par exemple,
            il n'est pas malheureux, il est bien.   Oui.
      « La *khandra* n'entre pas dans ce jardin. »
      « Il y a ici comme un anticyclone. »
      « Je suis spleen-free dès que j'arrive. »
                        Tatiana est soulagée, resourit,
et ironiquement Eugène y croirait presque, à la fin,
                  soit qu'il se soit persuadé tout seul,
                  soit que la joie de Tatiana l'ait influencé ;
peut-être que c'est vrai, à la fin,
                  que la *khandra* n'entre pas dans ce jardin.

C'est ainsi qu'au fil des jours,
            alors que Tatiana est au comble de l'amour,
Eugène, à son tour,
se prend à la trouver de plus en plus   marrante,
enfin originale,   tu vois,   pas banale.   Désarmante.
Il se demande
comment cette maison Playmobil a pu produire

une fille rêveuse et idéaliste,
exigeante, d'une finesse d'aiguille,
      et une autre qui a une page Myspace
      décorée en fond d'une photo d'Audrey Hepburn
      dans *Diamants sur Canapé*,
      référence qu'elle doit trouver
      extrêmement sophistiquée.

Eugène n'est pas malheureux de passer ses après-midis
      avec Tatiana.
      Non,   il est loin d'être malheureux.

      Tatiana, cependant, a l'impression de subir un
entraînement sportif de haut niveau,
      tant ces visites brèves, et les rêves
      qui l'épuisent avant et après,
      sollicitent ses muscles cardiaques et ventraux.
Son programme de palpitations est olympique :
   ◇ Toute la matinée, elle pense à Eugène.
               Là c'est plutôt par petits morceaux ;
elle se rappelle poignet, cheville, ongles. Puzzle d'Eugène.
Chaque pièce suscite un petit pinçon de ventricule, comme
entre un pouce et un index minuscules.
   ◇ Tout le début de l'après-midi, elle pense à Eugène.
             C'est à ce moment-là qu'il se pourrait
qu'il arrive ; son battement de cœur est à fendre la terre.
S'il était machine agricole, elle serait reine du labour.
S'il était foreuse sous-marine, elle serait nabab du pétrole.
   ◇ Ensuite il arrive.
Là elle est obligée de penser à lui tout en l'ayant en face d'elle,
ce qui exaspère ses sens, cette superposition d'Eugènes,
            et Tatiana n'est plus que tension
infernale, et frénésie qu'il reparte, et désir dévorant qu'il reste.

◇   Et le soir et la nuit elle pense à Eugène.

Mais là, c'est rocambolesque ; avec l'obscurité, tout est pire – boule rebondissante dans la gorge, peau glacée moite de poisson, front brûlant pierre volcanique, escadron de poils clairs dressés sur les bras.

Ce sont des pensées de cinéma. Sur l'écran noir de ses nuits blanches,

Tatiana, un peu oie blanche, introduit d'innombrables fondus au noir :

au moment où Eugène lui déclipse son soutien-gorge

fondu au noir

au moment où Eugène parcourt de ses lèvres sa clavicule

fondu au noir

au moment où Eugène déboutonne son 501

fondu au noir

la lumière revient toujours au moment du scénario

où Tatiana est rhabillée le lendemain matin

où ils prennent le petit déjeuner

où ils discutent dans le jardin en sachant qu'il s'est passé quelque chose et personne d'autre ne le sait.

noir/blanc/noir/blanc
noir/blanc/noir/blanc/noir/blanc

On ne peut qu'admirer ce sens inné de l'autocensure,

cette discipline internalisée ;

mais malgré la chasteté de ces rêveries, Tatiana ne s'endort tout de même qu'à l'aurore.

Et quand elle dort, elle gesticule,

et quand elle se réveille, elle a l'impression d'avoir lutté toute la nuit contre sa couverture,

laquelle, tentaculaire, s'est articulée autour d'elle comme une pieuvre.

De plus, ces pensées n'ont guère le temps de s'ankyloser :
    elles sont chaque jour rechargées par une inédite
nouveauté d'Eugène.
Une chose qu'il a dite, un cheveu qu'il a remis en place,
une branche de lunettes qu'il a suçotée, une hésitation
qu'il a eue ;
    Tatiana emmagasine tous ces petits produits d'Eugène
    dans la grande arrière-boutique de ses rêves
    dont elle est l'unique cliente et l'unique vendeuse.

        bonjour madame je souhaiterais s'il vous plaît
le grain de beauté d'Eugène qu'il a sur le cou.   Oui celui-là
oui oui celui-là qui ressemble à un grain de poivre   merci
c'est pour décorer ma rêverie où je l'embrasse juste ici.
        il vous reste un bocal de ses expressions préférées ?
            j'ai prévu ce soir une petite pièce courte
                où je m'imagine conversant avec lui

Parfois le produit stocké s'avère explosif, enivrant,
un détail estampillé dangereux ;
                    par exemple, je ne sais pas :
disons qu'un après-midi il lui a pris la main pour regarder
sa montre,
alors le soir même :
Je voudrais un exemplaire
de la sensation de ses deux doigts sur mon poignet
                            Oh là là !
                            Vous êtes sûre ?
Certaine
                Vous savez que ça vous garantit de ne pas dormir
        avant trois heures, trois heures et demie du matin ces choses-là !

Je sais, mais j'en ai besoin

                    C'est très addictif, je dois vous avertir.

Je ferai attention.

                                    Bon.
                    Si vous le dites. Veillez à respecter
                            les précautions d'emploi.

J'y veillerai, merci.

          La livraison du pire de ces produits intoxicants
arrive le jour qui change tout dans la vie de Tatiana.
          Ce jour-là, en pleine conversation,
alors qu'elle est en train d'expliquer quelque chose
de très intéressant sur les papillons
à l'époque de la Révolution Industrielle,
          le monde soudain se déchire :
          Eugène retire son pull, et son polo se soulève –

                              et
                            elle
                            voit
                            une
                            fine
                            ligne
                            de
                            poils bruns

          courir comme un trait de fusain
                    de son nombril à sa boucle de ceinture.
                              Et au-delà, ensuite.

Jusqu'où ?

                    jusqu'à sa   zut

elle était en train d'expliquer quelque chose de
très intéressant

                              sur quelque chose
les papillons blancs   non, noirs   non attends
en Angleterre à la Révolution Industrielle il y avait
            des papillons blancs

                        et donc ! il y avait plein de suie,
dit-elle à Eugène   à cause des usines
les papillons avant étaient blancs   mais donc à cause
de la suie   mais ah là là
où elle en était déjà ?   oui donc   pour clarifier
donc c'était l'époque de la Révolution Industrielle en
Angleterre jusque-là tu suis ?

        « Jusque-là je suis, » sourit Eugène.
Et donc en fait   c'était   il faisait tout noir   enfin
            j'arrive pas à expliquer
« Il faisait tout noir à cause de la fumée des usines, »
l'encourage Eugène.

                    La fine ligne de poils bruns a redisparu
                                sous le polo
                        mais elle reste imprimée
                        persistance rétinienne œil idiot
        « Oui, dit Tatiana, c'est ça,
donc en fait –   *concentration*   – les murs de Londres
étaient blancs avant, et les papillons aussi mais quand les murs
sont devenus noirs à cause de la suie, les papillons ont évolué
et sont devenus noirs aussi. »

                    bravo Tatiana se félicite Tatiana
                    c'était une explication à peu près cohérente
                    maintenant vade retro persistance rétinienne
                    reviens ce soir quand j'aurai besoin de toi
                    comme accessoire de rêvasserie

                              62

« C'est bien la preuve qu'un monde sombre
vous rend sombre, » conclut Eugène.
« Oui, balbutie Tatiana, enfin non,
c'est surtout la preuve de la théorie de l'Évolution,
enfin je trouve ça étonnant cette histoire,
des papillons blancs qui deviennent noirs. »

Eugène s'amuse, « Je ne sais pas
                    pour les papillons, mais toi
                    tu es toute rouge, tout à coup. »

                    Notre pauvre Tatiana est en effet grenadine.
                         Comme les petits papillons,
               elle voudrait disparaître dans le fond du jardin
                    (et moi aussi, je trouve ça étonnant
                    que tout nous amène à nous confondre
                              avec notre environnement,
                         qu'on se veuille toile de Jouy,
                    linteau de porte, moquette grise,
          et que si souvent ce désir caméléon arrive
     pile aux moments où justement on pourrait dire :
     j'ai été troublée par la vision fugitive de ton ventre ;
     pile aux moments qui pourraient tout changer,
                    on veut se cacher, pour survivre,
                         pour n'être pas mangé
                              par les oiseaux,
               on se voudrait tapis, parquet, rideau,
     plutôt que le grand scandale qu'on pourrait être.)

C'est cette vision et ces regrets, peut-être, qui forcent,
cette nuit, Tatiana à faire les cent pas dans sa chambre.
Elle essaie de s'épuiser pour parvenir à dormir.

Cela fait des jours qu'elle voit le soleil se lever.
Tout cet amour et la fatigue lui donnent envie de vomir.
Elle essaie vainement de se discipliner.
Cent pas. Elle les compte : dix fois dix.

Cent pas une grille de pas une garnison
de pas elle est une armée à elle toute
seule elle est la marche militaire de son
rythme cardiaque elle est la maréchale c'est
elle qui décide elle n'est pas du genre à
se laisser marcher sur les pieds elle veut de
l'ordre dans son cœur elle veut du sommeil
du calme pas de rêves tire- bouchon pas
de désirs elle est la chef c'est elle qui
commande pas ses ventricules non NE PAS
repenser à la ligne au fusain NON NON
dormir dormir dormir dormir dodo dodo dodo dodo

Mais c'est comme essayer de ne pas penser à un chameau.
    Impossible.
Maintenant Tatiana a mal aux pieds
et elle n'est toujours pas délivrée d'Eugène.
Elle n'a toujours pas sommeil.
Encore une nuit où elle va voir se lever le soleil.
Elle est soûle
        de fatigue et se croit soudain invincible.
            Au fond,
            elle a raté tout à l'heure son occasion ;
elle aurait pu   elle aurait dû   lui dire.
            Et d'ailleurs
            Et d'ailleurs, tiens !
        Là, maintenant, elle va le faire, elle va être
        cette personne. *Je vais*, se dit-elle, *lui écrire une lettre*.

Une lettre d'une beauté indicible. Une lettre
               honnête, vraie, droite,
droite comme la ligne de NON ON A DIT NE PAS
               NE PAS penser à ça.   NON.
Écris cette lettre allez
au lieu de te focaliser sur ce sentier de poils.

Tatiana court à son bureau et prend un bic.
     Elle pense intelligent intelligent. Elle pense référence
intertextuelle oui, ce serait intéressant de faire des références.
Quelque chose de spirituel. Subtil. Impressionnant.
Lui qui aime tant les citations, elle pourrait lui composer
une lettre qui serait un amalgame de citations.
               Il pourrait s'amuser à les retrouver,
          en même temps admirer sa culture,
               et aussi deviner ses sentiments à travers.
Tatiana fait plusieurs essais,
que nous ne détaillerons pas ici ;
               nous chargeons de futurs historiens
               d'explorer ses manuscrits.
Le dernier, vers trois heures du matin, est rédigé ainsi :

                    Cher Eugène,

Je fais souvent ce rêve étrange et pénétrant,
Où, oui, je vois que je respire où tu palpites,
Je te porte dans moi comme un oiseau blessé,
Toujours, toujours en sa plus verte nouveauté.
Vois-tu donc comme l'espérance est violente ?
Car tu es le grain de musc qui gît, invisible,
Ta flamme et ton respect m'ont enfin désarmée.
Et l'amour infini me montera dans l'âme
D'un cœur à qui le temps ne pourrait rien changer.

Tatiana contemple son bricolage.

En lui-même, le poème n'est pas

franchement

exceptionnel.

Disons que si Eugène ne voit pas les références,
il risque de se demander

ce qu'elle a sniffé avant de l'écrire.

Et puis comme tous les vers n'étaient pas au départ
des alexandrins

elle a dû les colmater avec des mots en mousse,

des *donc*, des *toujours*, des *oui*, des *tout*,

poussés partout dans les trous, et ça se sent un peu.

(Beaucoup).

Mais le plus gros problème, c'est que

ça   ne lui ressemble pas. C'est le poème
de mille autres personnes,   et de personne à la fois.
Il est trois heures et demie du matin quand elle chiffonne
la feuille.

Elle s'attable à nouveau, s'accable,
et finalement   se libère.

Parfois, s'aperçoit-elle, on veut trop bien faire.

Faire alexandrin quand on peut faire libre. Faire
rime quand on peut faire résonance. Faire écrit quand on
peut faire ému. Faire lettre quand on peut faire email. Faire
encre quand on peut faire touche de clavier. Faire grande
pompe de papier quand on peut faire tintement de messagerie
électronique.

L'adresse email d'Eugène servira, après tout.

Tatiana allume son ordinateur
qui met dix minutes pour démarrer   (on est en 2006)
et elle ouvre sa messagerie hotmail et elle a un email de

Skyblog qui lui dit que c'est son anniversaire
                    (ce n'est pas son anniversaire elle a donné
                        une fausse date d'anniversaire ;
            son vrai anniversaire est dans deux semaines)
et un autre de Dromadaire.fr qui lui hurle

TATIANA1992
ENVOYEZ UNE CARTE VIRTUELLE
À LA PERSONNE QUE VOUS AIMEZ !!!
PLUS DE 250 NOUVELLES CARTES ANIMÉES !!!
RUBRIQUES AMITIÉ, AMOUR, CONDOLÉANCES

Tatiana sourit de cette coïncidence (qui n'en est pas une
car Dromadaire.fr lui envoie ce genre de message presque
tous les jours).
        Dans un coin d'écran, *msn*
        s'allume aussi ;
        petit bonhomme bleu, petit bonhomme vert,
        Eugène
                est un petit bonhomme gris.
        Tout le monde à cette heure-ci de la nuit est un petit
bonhomme gris.

            (Sauf SmarterChild, le robot de *msn*,
                    grand ami des insomniaques
        toujours disponible pour des conversations oulipiennes.
            Moi, je lui parlais parfois, car j'aimais ce vertige :
                discuter avec quelqu'un qui ne peut répondre
                    à absolument aucune question cruciale ;
                        comme nous, en réalité,
            mais qui l'admet au lieu d'essayer de le cacher.

67

Es-tu déjà tombé amoureux, SmarterChild ?

> *Les robots ne tombent pas amoureux.*

Que devrais-je écrire dans une lettre d'amour,
SmarterChild ?

> *Si je devais écrire une lettre,*
> *je me demanderais d'abord qui est*
> *le destinataire.*

Je n'arrive pas à dormir, SmarterChild.

> *Je suis désolé d'apprendre*
> *que vous avez des difficultés*
> *à trouver le sommeil.*

Quel est le sens de la vie, SmarterChild ?

> *J'ai bien peur de n'être pas programmé*
> *pour répondre à cette question.*

SmarterChild me manque, ces jours-ci.
Siri fait trop de plaisanteries.
Je l'aimais mieux, lui, avec son innocente étrangeté.)

Tatiana n'est pas au bout de ses sollicitations robotiques.
Elle démarre Microsoft Word,
commence,

Cher Eugène
et immédiatement

on dirait que vous êtes en train d'écrire une lettre

s'exclame le trombone animé, yeux globuleux, sourire
vicieux

puis-je vous aider ?

Non. Pas la peine.

À tous ces assistants virtuels, elle oppose la petite croix en
haut à droite.

Et elle écrit son message à Eugène avec une déconcertante
facilité.
Sans acrostiche ni acrobatie.
C'est simplement un message qui lui dit   qu'elle l'aime.
Il est très beau, à sa façon. Je l'ai gardé. Voyez vous-même.

Le message de Tatiana
à Eugène

—◆◆—

Bonjour Eugène,
        ou plutôt bonsoir,
C'était chouette de te revoir aujourd'hui.
Ces derniers temps, peut-être parce que je m'ennuie,
ou que c'est l'été, je ne sais pas,
                        j'attends parfois
                            que tu viennes l'après-midi.
La porte du jardin pirouette,
                    et te voilà avec Lensky.
En attendant que ça arrive, je suis distraite.
J'ai du mal à me concentrer.
Je patiente,
        mais quand on patiente, on ne fait que frôler la réalité.
Ça fait plusieurs semaines que je la frôle sans la toucher,
attendant que la porte du jardin m'y projette.
C'est bête
mais c'est seulement quand tu es là que j'ai l'impression
d'être là où je dois être.
            Le reste du temps, je suis comme quelqu'un à la fenêtre
                    qui se regarderait vivre dehors
                et qui aurait l'impression que ça arrive
                        à quelqu'un d'autre.

Je sais que c'est un peu inélégant ce que je dis,
je n'ai pas de prétentions poétiques,
        je sais que c'est sans doute aussi
parce que je suis un peu trop romantique,
           mais je voulais juste savoir, voilà,
                        je voulais juste savoir si tu as
                        des sentiments pour moi ;
moi oui, je le sais depuis le tout début,
je pense à toi tout le temps depuis la première fois
que je t'ai vu.
        Tu dois avoir plein de filles qui te courent après,
        ça ne m'étonnerait pas.
        Peut-être   que tu as une copine
        Peut-être que je me trompe et que j'ai mal
interprété les signes,
et que tu n'as pas vraiment de sentiments pour moi,
                    ou que tu es homosexuel,
ce qui serait pas un problème.
Mais sinon, si tu veux on pourrait aller au cinéma ensemble
un de ces jours, à Enghien,
        voir *Spider-Man 3*, ou n'importe quoi d'autre,
        ça m'est égal,
        je suis bon public.
Ou alors juste aller se balader, regarder les étoiles (haha).
J'espère que ce message ne te semble pas hystérique,
        je ne veux surtout pas te mettre la pression,
        si tu me réponds non,
je ne serai pas
vexée.
        À bientôt alors, bonne journée, ou bonne soirée,
        Bises,
        Tatiana

Le message fait un petit bruit de fusée en décollant.
Tatiana s'imagine Eugène l'ouvrir. Elle imagine ses yeux
    (bleus)
le parcourant
    ligne après ligne,
    s'en émouvoir,
    peut-être.

Il est quatre heures cinquante-quatre du matin,
    un tesson de soleil est déjà fiché dans le ciel prune.
C'était exactement la lettre qu'il y avait dans son ventre.
    Tendre, exacte, franche.
    Discrète, douce.

Je sais, je sais.
        On ne pourrait rêver mieux
            ni pire
    comme lettre d'amour. Si Tatiana la relisait dix ans
plus tard, mon Dieu !   L'instant cloporte,
    l'instant *sortez-moi-de-là*,
    l'instant je préfèrerais être morte,
    l'instant ce n'était pas moi ça,
    ce n'était pas du tout, du tout moi, ça !
Elle ne s'y reconnaîtrait jamais, elle y verrait les maladresses
de quelqu'un d'autre,
quelqu'un de tout à fait annihilé,
    une ancienne idiote,
    une vierge effarouchée,
pas quelqu'un qui étudie l'élément liquide chez Caillebotte
        et qui résiste avec un flegme détaché
           aux insistances lourdingues de Leprince.
    On est dur avec soi-même quand on se voit de loin,
    on se déteste à retardement.

Mais je vous jure qu'à ce moment,
le moment où le message décolle,
Tatiana se sent mieux que jamais ; pas juste libérée, pas juste
plus légère,

      c'est quelque chose de plus profond ;
      elle se sent *traduite*, pourrait-on dire,
      elle se sent *imprimée*.

      Il existe désormais une copie de son âme à l'extérieur
d'elle-même. Elle est fière de l'avoir réalisée.

Bien sûr que dix ans plus tard,
cette impression ne sera plus conforme.
Mais quelle photographie le serait ?
Pourquoi voudrait-on reconnaître ses pensées
dix ans plus tard,
quand le miroir nous montre bien qu'on a changé ?
On place plus haut nos idées
que notre visage, on se dit
qu'elles ne changeront jamais, nos pensées platine,
nos inoxydables promesses.
Oui, elles étaient vraies alors
et seront fausses plus tard, ces paroles de Tatiana ;
là où le présent caresse,
plus tard le passé pince.
Et alors ? Cette nuit, ces pensées-là sont la vérité même.
Or, pour une pensée,
être vraie même une seule fois,
même une seule nuit,
c'est déjà une prouesse.

Le lendemain, ou plutôt le jour même, Tatiana se réveille
à dix heures ;
heure indûment tardive pour cet oiseau du matin.

La tête sur l'oreiller, elle écoute, par la fenêtre ouverte,
les abeilles tapoter les lèvres mauves de la glycine.
Elle entend Olga, qui éternue (rhume des foins)
dans le jardin ;
Olga prend son petit déjeuner dehors, bruit râpeux du pain
grillé qu'on tartine,
lecteur MP3 placé dans un verre pour en amplifier le son,
Tatiana sait qu'elle l'a installé entre la cafetière et le beurrier,
sur la table grignotée par la rouille,   comme d'habitude.
                              C'est une chanson
          de Muse, une reprise, *Feeling Good*, aiguë et aérienne,
qu'Olga chantonne en même temps qu'elle l'écoute :
                              Freedom is mine
                              you know how I feel
Si elle chantonne, ça doit vouloir dire que Lensky lui a
envoyé un joli poème.

                    It's a new dawn, it's a new day,
                              it's a new life,
Tatiana se lève et fait signe à sa sœur de la fenêtre,
                    et finit avec elle la chanson,
                              for me
                    and I'm feeling good
    « Comme c'est agréable de vous entendre chanter ! »
s'exclame leur mère.

                              Tadam
                              Tadam
                              Tadam
                              tadadadadam

73

On est samedi. Elle est aussi dans le jardin, avec *Courrier International*.

« Moi aussi, quand j'avais votre âge, je chantais en permanence. »

Tatiana dévale les escaliers pour les retrouver, pour gratter le dos du pain grillé

et se soûler de café noir,

dans le jardin déjà fusillé par le soleil.

Elle et Olga se parlent par le regard : elles vont   très bien toutes les deux, ce matin. Elles sont pleines d'amour. Elles dansent.

Leur mère stocke précipitamment cette recharge de bonheur. Elle sait qu'à quatorze et dix-sept ans, on change vite d'humeur.

Olga, au-dessus de son *Grazia*, observe sa sœur en train de se faire une tartine de confiture de mirabelle.

Tatiana a grandi cet été, trouve-t-elle ; elle aura quinze ans dans deux semaines,

elle est décidément plus lumineuse. Elle ne l'a jamais vraiment trouvée belle, mais il y a certainement en elle quelque chose qui pourrait rendre fou

un professeur, un docteur, un avocat,

enfin quelqu'un qui trouve sexy

l'écorce un peu rêche

des filles très intelligentes.

Oui, il y aura sans doute quelque part

quelqu'un qui voudra d'elle.

Satisfaite, Olga se replonge dans son magazine.

COMMENT
BIEN CHOISIR
sa crème hydratante ?

Tatiana de son côté regarde un papillon de graisse
éclore dans son café quand elle y trempe sa tartine.

Elle vérifiera ses emails plus tard. Elle n'est pas pressée.

Sans le faire exprès,   elle profite.

Pendant ce temps-là, Eugène a reçu le message.

Il l'a lu deux fois   ou trois   ou même
je ne sais pas exactement combien de fois, ça le regarde.

Ce message, oui, le *regarde*. Lui parle. Le – touche ?

Pourrait-on dire de notre Eugène qu'il est touché ?

Difficile à dire. Au début, il a pensé :

Typique.   Classique.   Normal.

Fille ordinaire, charmée par moi.

Ça arrive plusieurs fois par mois.

Totalement attendu, peu original.

Il s'en doutait évidemment aussi, il est un peu
                    je ne sais pas, agacé, ou déçu
qu'elle lui en fasse part, et en même temps, bon, c'est
joliment dit, il est flatté sans le vouloir,

confus, aussi – étonnamment.

Il pense qu'il pourrait bien sûr en profiter ; devenir
cette personne qui va voir *Spider-Man 3* dans le seul objectif
de rouler une pelle à Tatiana.

Mais il ne veut pas, pénétré soudain d'un impératif
moral qui s'assortit d'une interdiction érotique.

Il se dit : « *C'est une gamine* ».

Gamine est un terme pratique. Gamine égale
mignon, gamine égale enfant et sœur.

Gamine est raide ; gamine exclut les courbes
lourdes, les seins en poire ;

75

Gamine est fraîche ; gamine n'a pas l'attrait brûlant
des aventures ;
Gamine est lisse ; gamine n'a pas d'escarpements
ni d'encoignures.
Gamine on la borde. On lui lit des histoires
édifiantes pour la faire dormir.
Gamine on lui fait son éducation.
Eugène se sent comme investi d'une grande mission.
Il sait ce qu'il va lui répondre ; il compose dans sa tête
une réponse pleine
de ces trois années qu'il a vécues de plus qu'elle ;
de ces dizaines de livres qu'il a lus de plus qu'elle ;
de ces nombreuses amours qu'il a eues de plus qu'elle.

Là il faut m'interrompre brièvement pour signaler
que je ne suis pas exactement certaine
du nombre précis de ces amours d'Eugène.
Lui, il dirait *beaucoup*,
mais les hommes disent souvent beaucoup.
Elles n'ont laissé que peu de traces dans les archives.
Et puis il n'a que dix-sept ans, donc je doute qu'il ait eu
cent conquêtes en France et mille trois en Espagne.
Mais il est certain qu'elles doivent être
assez nombreuses, ces amours,
pour qu'Eugène estime déjà en avoir fait le tour.
La réponse qu'il lui cuisine est une leçon tirée de ces amours,
dont l'amour de Tatiana est forcément dans son esprit
une énième déclinaison, un échantillon représentatif,
un bête amour typique ;
il va lui donner une leçon tirée de la réalité empirique.
Et un jour
(se dit-il)
elle le remerciera.

76

Cependant la journée passe et la porte du jardin ne tourne pas sur ses charnières.

Tatiana s'est rongé à peu près tous les ongles. Elle a actualisé trente fois la page de sa messagerie hotmail.

Impossible de se concentrer sur *Nord et Sud* d'Elizabeth Gaskell.

Le moindre bruit – ronronnement de bourdon, klaxon, pie furieuse, moto pétaradante – lui fait dresser la tête.

La porte reste muette.

Dans ce monde agité de bruitages étranges, Olga est plongée dans Anna Gavalda. Apparemment tout est normal, pour elle. Elle fait claquer ses tongs entre ses orteils.

Le temps passe, et Tatiana espère qu'Olga va soudain se redresser, s'épousseter de tout ce soleil,

et demander enfin ce que peut bien faire son copain. Son copain, d'habitude, elle en parle vingt-quatre heures sur vingt-quatre ; et là, il n'est pas là, et c'est comme si

elle l'avait oublié,

comme s'il n'avait jamais existé,

comme s'il n'avait jamais introduit

Eugène dans leurs vies.

Après un énième *clac* de tong, Tatiana craque :

« Il vient pas aujourd'hui, Lensky ? » articule-t-elle, gorge cactus.

Olga, sans lever les yeux,   « Non,
il est allé rendre visite à sa cousine avec Eugène. »

La cousine de Lensky se matérialise immédiatement dans l'esprit de Tatiana ;

il s'agit d'un agrégat d'Angelina Jolie et de Liv Tyler Prix Nobel de littérature double médaillée olympique fondatrice d'une organisation humanitaire pour les petits lépreux de Djakarta.

Pas d'email le reste de l'après-midi. Ni le soir.

Nuit de poussière.

Le lendemain, à la même heure :

« Il vient pas aujourd'hui, Lensky ? »

Anne, ma sœur Anne, ne vois-tu rien venir ?

« Si, il m'a dit qu'il arrivait, » dit Olga, consultant par réflexe son Nokia à clapet.

Et en effet Lensky arrive   seul.

Tatiana ne peut poser aucune question : elle est comme l'habitante d'un corps qui n'est plus le sien ;

et cette idiote d'Olga qui ne demande rien !

L'absence d'Eugène s'assied, éléphantesque, sur une chaise de jardin.

Tatiana n'a d'autre choix que de prendre le thé avec elle.

Plus tard, quand Lensky repart, elle ose :

« Il est pas venu, Eugène ? »

Lensky : « Non, il se sentait pas de venir aujourd'hui. »

Il ne se sentait pas de venir

Cela veut-il dire :

1) qu'il est malade – il a une gastro-entérite, il vomit partout ; ou

2) qu'il ne veut pas me voir à cause de l'affront que je lui ai fait ; ou

3) qu'il est en train de choper la cousine de Lensky (laquelle depuis hier a eu le temps de devenir également neurochirurgienne) ; ou

4) qu'il a peur de ne pas pouvoir s'empêcher de m'embrasser frénétiquement.

À l'exception du premier, pas fabuleusement intéressant, ces scénarios tourneront dans la tête de Tatiana toute la soirée et toute la nuit.

2h34.

Toujours   pas   d'email.

Réactualiser la page.

Le lendemain après-midi, Lensky arrive à l'heure habituelle,

escorté de l'absence d'Eugène

qui a pris plusieurs kilos depuis hier et casse trois chaises en osier et s'affale sur la table en fer forgé et écrase le parasol et défonce toute la porcelaine.

« Il vient pas, Eugène ? »

« Eugène ? Ah non, il est allé à Paris voir ses parents, il revient demain. »

Demain,

toujours rien.

L'absence d'Eugène commence à bien connaître le jardin. Elle grignote les feuilles de menthe, épouvante les mésanges.

Elle est sans-gêne, l'absence d'Eugène.

Tatiana a épuisé son quota de questions. Encore un « Il n'est pas là, Eugène ? » et Lensky comprendra que ce n'est pas de la politesse mais de la passion.

Après le lendemain, le surlendemain, et le sur-surlendemain d'espérance inhumaine,

Tatiana se met à attendre l'arrivée

désormais quotidienne

de l'absence d'Eugène.

Elle se surprend à s'habituer à ce non-événement routinier.

C'est comme si elle avait refermé la parenthèse d'Eugène. Selon les moments, elle est certaine / pas certaine
qu'il ait existé / pas existé dans sa vie. Ce doute n'est pas très important. Elle l'aime encore,
évidemment,
mais les amours de Tatiana se sont toujours
très bien accommodées d'une incertitude
fondamentale sur l'existence de leur objet.

Dans ses moments de lucidité, elle sait bien que c'est à cause d'elle qu'il est parti.

Alors, comme elle se sent responsable de son absence, elle en prend bien soin ;
elle veut qu'elle soit la bienvenue,
elle lui tient la main,
elle lui fait des confidences.

Un jour,   mille ans plus tard,
ou juste une petite semaine,
la porte s'ouvre, c'est Lensky,
et   « Eugène ! (s'écrie Olga)
Tu nous as manqué ! T'étais passé où ? »

Eugène est là.
Il a repris la place de son absence.
Tatiana n'était pas du tout préparée à ça.
Elle avait consciencieusement versé la non-tasse de thé et sorti la boîte de biscuits fantômes de l'obèse pseudo-visiteur habituel.
Elle ne s'attendait pas à être aussi terrifiée
si jamais Eugène revenait.

Son cœur prend l'ascenseur

                jusqu'à son larynx ; il lui assène des coups

                dans la nuque.

Devant l'imprévu, *fight or flight* : se battre ou fuir.

Tatiana, devant l'imprévu,

                                      fuit.

Elle a brusquement mieux à faire au premier étage.
N'importe quoi, des révisions, de la lecture, du repassage,
regarder *Attention à la marche* avec Jean-Luc Reichmann.

Eugène en entrant ne trouve dans le jardin que
l'absence de Tatiana ; et il lui faut avouer qu'elle picote,
cette absence, comme une petite plaie ouverte dans la peau
du monde.

Tatiana l'entend dire par la fenêtre, « Elle est pas là,
Tatiana ? »

« Si si, je l'ai vue monter au premier étage, » répond
Olga.

Ça y est, il sait qu'elle a fui, qu'elle est lâche et bête.

Tatiana se réfugie dans les toilettes,

           seule solution pour faire croire qu'elle avait une bonne
raison de monter à l'étage.

Mais du coup, une fois la chasse tirée,

                            il faut revenir.

      Elle reste un instant sur le palier, oscillante

                comme ces toupies qui,

            pendant quelques instants de grâce,

                expriment leur désaccord avec

                    la pesanteur ;

                    elle

se prépare à enfiler un justaucorps de peur –

quand soudain devant elle apparaît Eugène.

       Trente fois plus grand que la dernière fois,
à contre-jour, surgi d'une fente du plancher.
Tatiana ne peut plus parler.
Eugène semble un instant hésiter, et puis,
       il lui dit…

       mais peut-être n'est-il pas encore temps de
savoir ce qu'il lui dit.
Après tout, Eugène, dix ans plus tard, s'en souvient à peine,
       et ce serait pas du jeu de le rappeler ici.
Ça lui rendrait la tâche trop facile.
Et puis, tout cela est lié à un autre incident dramatique,
qui pèse aussi dans la balance,
et que nous raconterons à un moment plus stratégique.

       Cela étant dit, donc,
       sur ce cliffhanger haletant,
       fast-forwardons d'un petit décile.

Nous avions laissé Tatiana à la bibliothèque, Eugène
       en route vers le cimetière, tous deux un peu
       déphasés, un brin tendus
       de s'être revus ;
       et pour l'instant, entre ces deux tensions,
c'est celle d'Eugène qui a besoin de notre attention.

3

La première chose que fit Eugène en arrivant au cimetière
        fut de chercher des yeux
sa mère, son père, ses sœurs, sa grand-mère,
afin de les éviter à tout prix.
                    Il avait en effet un désir impérieux,
avant de rendre ses hommages à son grand-père,
                    de googler Tatiana.
C'était embêtant, il avait peu de réseau dans ce cimetière ;
        il avait déjà repéré toute la famille en deuil,
        sœurs-blattes, parents-parapluies,
        et l'aïeul dans le cercueil,
mais la page mettait une éternité à se charger, on ne voyait
qu'une chose au sommet : « 219 000 résultats » – il était
douteux qu'il puisse éplucher 219 000 résultats avant que
l'on s'aperçoive qu'il n'était toujours pas arrivé.
        Planqué à une allée de distance du trou
        qui attendait son grand-père,
        derrière une tombe en gypse clinquant
        marquée 𝕿𝖗𝖊𝖒𝖇𝖑𝖆𝖞,
            (ce qui illustrait remarquablement son état)
        Eugène secoua son téléphone comme on souffle sur
une carte à puce pour la faire remarcher.
                        Superstition électronique.

La page ne chargeait toujours pas. *Espèce de saloperie de technologie merdique.* Il essaya de chercher le réseau en manuel.

« Eugène n'est pas encore arrivé ? » demanda sa sœur Evelyne.

« Je vais l'appeler, » répondit sa sœur Marguerite.
Vibrations.

Un petit téléphone vert stylisé

idiote icône de téléphone inventée par crétins condescendants d'Apple pour adultes-enfants illettrés imbéciles

apparut sur son écran, recouvrant les 219 000 secrets publics de Tatiana.
Par sens du devoir, il décrocha.

« Allô ? »   « Allô, Eugène ? Tu es où ? »   « Juste là. »

Et il émergea de derrière la tombe des Tremblay, ce qui ne fut pas sans surprendre sa famille,

a priori pas venue pour une grande partie

de cache-cache entre les stèles.

Il dispensa de secs bonjours, flanqua des bises, fulminant, furieux de savoir que sur son écran percolaient doucement

des myriades d'indices sur la Tatiana de maintenant,

et que seule sa poche en profitait.

On commença.

Le curé comme dessiné par un enfant

(trapèze noir gommette blanche)

récita une litanie de compliments,

puis ce fut au tour d'Eugène. Il avait enregistré son discours sur son téléphone, évidemment,

aussi, en le sortant, aperçut-il la première page de résultats.

Nom de chaque site, mots-clefs en gras, « **Tatiana** » « **Reinal** », et chaque description tronquée après trois lignes.

sorbonne.fr Après une licence et un master en histoire de l'art, **Tatiana Reinal** est depuis 2012 candidate doctorale sous la direction du professeur Leprince. Son analyse est centrée… <Cliquez pour ouvrir>

caillebotteonline.fr … peut que souhaiter que le regain d'intérêt pour Gustave Caillebotte ces trente dernières années en signale un renouveau durable. » Texte de **Tatiana Reinal**. Commenter Partager <Cliquez pour ouvrir>

amoureuxdelabelleepoque.fr… contactez **Tatiana Reinal** (vice-présidente) pour tous détails concernant les promenades thématiques dans Paris… <Cliquez pour ouvrir>

international-society-for-art-history.com… cannot severe the economics of impressionism from its aesthetics, as **Tatiana Reinal** underlines… <Cliquez pour ouvrir>

marmiton.fr **tatiana_reinal** Merci pour cette recette. J'ai remplacé le cognac par du grand marnier et cela fonctionne très bien. Encore meilleur mangé chaud… <Cliquez pour ouvrir>

« Il est très ému, » murmura sa sœur Evelyne, et Eugène s'aperçut que tout le monde attendait qu'il parle, alors qu'il ne voulait savoir qu'une seule chose : quelle recette Tatiana avait aimée.

Paniqué, frustré, désespéré, il rapetissa les résultats d'un coup de bouton central,

chercha ses notes, les trouva,

bafouilla un discours sans son sens de l'éloquence habituel,

ce que tout le monde interpréta comme une marque de sincérité.

À peine terminé, entre les remerciements larmoyants des amis de sa famille et deux embrassades surparfumées de sa mère,

il redémarra Safari,

et son téléphone

s'éteignit.

Plus de batterie.

Il envisagea un instant de se jeter dans le trou prévu pour son grand-père.

Puis lui vinrent d'autres pensées, qui accélérèrent le cimetière autour de lui,

fameux vertige des *Dents de la Mer* ;

et si jamais –

et si jamais   elle le googlait aussi ?

Les résultats d'Eugène n'étaient pas très glorieux :

◇ Sa page professionnelle sur le site de la boîte de consultants où il était Responsable Business Conseil Relations France / Pays de l'Est / Russie.

◇ Sa page LinkedIn recensant une licence Langues Modernes Spé Russe + un master dans une médiocre université américaine.

◇ Une page de témoignages de ses clients *Les Slaves peuvent être roublards, pour toutes vos négos et affaires avec eux je vous conseille vraiment Eugène*

Et quelque part,

un document Excel de résultats d'une course de kart
à La Rochelle où il était arrivé septième.
Les résultats Google de quelqu'un de profondément gris,
de quelqu'un d'un indicible ennui, de quelqu'un
qui de dix-sept à vingt-sept ans, n'avait été   personne,
quelqu'un qui entre-temps avait juste continué à respirer,
                                        juste un petit peu vieilli,
qui s'était laissé porter par la vie, par les études,
                    par l'attrait vague d'un CDI,
                    d'un petit appartement dans Paris.
L'Eugène qui avait éclos de l'Eugène de jadis,
                    dégueulassement dénoncé par Google,
déclencherait des bâillements interminables chez Tatiana.
        Elle se dirait je l'ai échappé belle.
        Elle se dirait heureusement qu'il m'a laissée toute seule.
        Elle se dirait ma vieille t'as eu du bol dis donc, t'aurais
pu perdre dix ans de ta vie aux côtés d'un consultant
Responsable Business Conseil Relations.

Oui ;   mais
                                        peut-être
que justement, si
                s'il n'avait pas/ s'il avait
        enfin si les choses avaient été différentes,
        il aurait mené une vie véritablement excitante
                    avec elle, ils auraient voyagé,
                    lu Kerouac et Nabokov dans des motels,
                    mangé des pattes de poulet en Chine,
                    fait un trek en forêt amazonienne,
        mon Dieu ! comme elle était rasante sa vie
        comme il était rasant cet Eugène
        dont Google révélait tout le pire
        et dont tout ce pire était absolument factuel.

89

« Il est très ému, » répéta sa sœur Ottilie.
« Il est très, très ému aujourd'hui. »

Eugène, cependant, avait tort de s'inquiéter ;
contrairement à lui,
Tatiana, elle, l'avait googlé au moins cinq ou six fois,
ces dix années passées,

     cinq ou six fois très espacées,
     dans des moments d'oisiveté,
     dans des moments, de plus en plus rares,
     de rêverie –   dans ces moments-là,
elle avait laissé ses doigts piocher les lettres de son nom
éparpillées par l'azerty,

          et à chaque fois elle avait ressenti,
          comme un pianiste rejouant un air
          presque oublié,
          une sorte d'émerveillement à le retrouver,
ce nom   qu'elle avait si souvent soupiré,
          désossé et réassemblé dans sa tête,
ce nom   que, réflexe universel de l'adolescence,
          elle avait dessiné sur son agenda,
          calligraphié en cartouche,
          gravé sur son équerre en plastique.
     Et même à dix-huit ans, même à vingt-quatre,
à chaque fois que Tatiana était allée pêcher sur le clavier
les petites touches disséminées,
elle le retrouvait toujours chargé de la même musique,
                    ce nom d'Eugène,
comme s'il avait attendu,
          sagement, rendu muet par l'émiettement
de ses lettres, que les doigts de Tatiana
          viennent en recomposer le thème.

Les résultats n'étaient qu'anecdotiques,
finalement – elle s'en fichait ;
c'était pour écouter la mélodie de son nom qu'elle le googlait.

Le soir, quand Eugène se retrouva enfin seul,
il compulsa la liste de résultats – pas les 219 000,
seulement les premières pages ;
les autres étaient évidemment des fausses pistes,
(dont un grand nombre de starlettes du porno, qui
affectionnaient *Tatiana* comme pseudo)
et il recolla tel un maître restaurateur
de chefs-d'œuvre, grâce à Google,
de petits morceaux du puzzle.
Le puzzle Tatiana avait :
◊ un centre fermement académique : succès
clinquants.
Bachelière à dix-sept ans, premier prix du concours général
de littérature, troisième prix en philosophie, licence / master /
doctorat en cours, articles cités, conférences internationales.
◊ des côtés éclectiques : quelques passe-temps.
Promenades littéraires touristiques dans Paris. Peintre aussi
à ses heures ; jolies toiles,   pas extrêmement originales
mais bien exécutées. Petit blog   pas très fréquenté,
                                            pas souvent mis à jour, où
elle chroniquait des films qu'elle avait vus, des expositions
qu'elle avait visitées, et des livres qu'elle avait lus. Elle avait
adoré le dernier roman de Laurent Binet.
Elle l'appelait drôle et inspiré.
                        (Eugène décida qu'il haïssait Laurent Binet).
◊ entre le centre et les côtés : rien. Un trou béant.
De sa vie sociale *rien*.
De sa vie amoureuse *rien*.
De sa vie sexuelle *rien*.

Eugène essaya de se raisonner :

il est assez normal de ne pas trouver,

sur Internet,

de détails spécifiques quant aux relations intimes des gens. Qu'est-ce qu'il aurait pu espérer ? « JE NE SUIS PAS CONTRE LA SODOMIE, déclare Tatiana Reinal ». <Cliquez pour ouvrir>

Ce n'était pas une attente réaliste.

Mais quand même, elle aurait pu avoir une page Facebook avec quelques renseignements.

Eugène détestait Facebook, évidemment,

et lui-même n'y était pas,

mais il trouvait quand même ahurissant que Tatiana

n'y soit pas non plus, la garce.

Ses amours, si elle en avait eu,

si elle en avait,

n'avaient laissé aucune trace.

Eugène s'arrêta sur un résultat : l'annonce d'une conférence de Tatiana,

publique,

qui aurait lieu la semaine suivante (samedi)

lors d'un festival au musée d'Orsay,

avec pour titre

« Que regarde le jeune homme à la fenêtre ? »

Eugène n'était que très peu intéressé par ce que regardait le jeune homme à la fenêtre

– quel jeune homme d'ailleurs et quelle fenêtre ?

il s'en foutait –, mais

c'était l'occasion rêvée de revoir Tatiana

sans avoir à l'appeler. Il pouvait faire semblant d'être en train de visiter Orsay,

juste pour se cultiver, oui, et alors ?   et là

pof !

Tatiana, dis donc !   Coïncidence incroyable,
deuxième fois en une semaine,
après dix ans de rien du tout !   Se la jouer cool ;
       puisqu'on est là tous les deux, aller prendre un verre
et ensuite,
            et ensuite,
bon,
Eugène convint quand même qu'elle n'y croirait pas.
Après tout, il pourrait lui avouer qu'il était venu pour elle.
          Pourquoi « avouer », au fait ?
          lui dire, tout simplement,
          comme elle lui avait dit les choses
          simplement elle-même, un jour –
l'avait-il encore, à propos, cet email ?   Non.
Il était passé de noos à gmail, depuis ;
      pas même un message de Lensky ne subsistait,
      pas une seule confirmation de leur amitié passée.
      Même les quelques photos d'eux qu'il avait eues,
il les avait perdues dans un accident de disque dur.
      C'était avant Dropbox.
      Les souvenirs n'étaient pas garantis.

         (Il ne servait à rien de googler Lensky,
                bien sûr…
Les résultats n'auraient pas changé depuis dix ans :
         un petit article du Figaro
      avec quelques éléments biographiques,
et en guise de légende, une photo de Lensky souriant,
son nom, ouvrez la parenthèse, une date de naissance,
             un trait d'union,
      une autre date, dix-sept ans et demi plus tard,
           et puis fermez la parenthèse.
       Cet avis tient lieu de faire-part.)

À la bibliothèque, ce jour-là, Tatiana n'avait pas pensé

                      énormément   à Eugène.
Juste un peu de temps en temps, comme il se doit.
Avec moins d'intensité,
                beaucoup moins d'urgente nécessité,
que dix ans auparavant. Le recroiser l'avait évidemment
ébranlée,
mais il y avait Caillebotte, il y avait ses notes à prendre,
                ficher le Valéry, pas facile,
        il y avait mille obligations dans sa vie maintenant ;
le papier du colloque de jeudi prochain à relire,
la présentation du musée d'Orsay de samedi à préparer,
une nuée d'emails à gérer,
une amie qui passait sa soutenance, avec qui elle prit un café
à 16 heures,
        et encore d'autres responsabilités, d'autres missions,
        trouver sur Etsy des petits cadeaux pour ses nièces
qui allaient avoir deux ans
                (Olga avait eu des jumelles),
réserver des billets sur voyagessncf avec la connexion qui
plantait tout le temps,
                (elle allait au mariage de son cousin
                en mai près de Lorient)
bloquer sa réservation Air B'n'B,
                (une ancienne étable reconvertie)
et puis après la bibliothèque, passer chercher voyons voir
la liste de courses ah oui la litière pour le chat,
                (agglomérante)

du muesli (sans raisins secs) du dentifrice (gencives sensibles)
des yaourts La Laitière vanille + ne pas oublier – trois fois
souligné – Cillit Bang spécial salle de bains.

Vérifier compte en banque une fois à la maison.

« La maison » de Tatiana était un petit studio
à Boulogne Billancourt, 750 euros par mois. Le chat Sasha
avait accès aux toits.

La vie de Tatiana n'était plus ce qu'elle avait été,
elle n'était plus
                    un blanc canevas tendu sur un tambour,
à décorer fiévreusement, aiguille en main et petits ciseaux
dorés de broderie, de mille rêves éveillés, non,
c'était la vie de quelqu'un   d'occupé,
                                de passionné,
                                de structuré et de studieux,
            quelqu'un
qui avait des listes de choses à cocher sur Google Agenda,
qui devait aussi gérer les imprévus, par exemple,

Chère Tatiana,

*Afin de célébrer la publication
De votre somptueux article sur Degas
Je vous invite à prendre chez Angelina
Un bon chocolat chaud et quelques macarons.
Serez-vous disponible après-demain, seize heures,
Et disposée à voir votre humble professeur ?*

G. Leprince.

Il n'était pas étonnant que, dans ce grand exercice de
jonglerie,
        appliqué et réfléchi,
        que menait désormais Tatiana dans sa vie,
                la place allouée à un Eugène réapparu se fût
considérablement réduite.
Cependant,
        cependant,
        il y eut ce jour-là comme un bruit parasite,
        une présence interstitielle d'Eugène,
                petit choc   sec   répété
contre sa cage thoracique parfois,
                lors de rares moments d'attention flottante,
        entre deux pages   *Eugène*
        entre deux stabilotages *Eugène*
Dans l'écriture d'un email ennuyeux,
                        Eugène comme de la friture
sur la ligne,

Bonjour Monsieur   *Je vous écris au sujet de*
            Eugène   Eugène

la possibilité de voir   *l'esquisse réalisée par*
            Eugène   Eugène

Caillebotte durant son été passé avec
                        Eugène
                                (etc.)

Ce fut donc avec Eugène en sous-texte de cette journée,
        leurs retrouvailles pas tout à fait métabolisées,
que Tatiana reprit le métro puis le RER.

Elle avait beaucoup de choses à faire avant d'aller au lit, mais choisit,

        pour une fois,

        de se coucher tôt, Sasha en chapka sur son front.

        Elle vérifia qu'elle n'avait pas de nouveaux emails,

        juste au cas où,

non pas   qu'elle en attendît   mais quand même

                              – non,

pas de nouveaux emails de lui.

                         Ni de SMS.

Il avait dû lui demander son numéro par politesse.

        Téléphone en main, tête réchauffée par le chat, elle observa longtemps son studio obscurci, baigné par la lumière d'un lampadaire

qui crayonnait gris clair les meubles Ikea.

        Elle ne rêva à rien de spécial, mais le lendemain matin,

        quand son réveil sonna,

elle s'aperçut qu'elle avait dormi avec son téléphone toujours serré entre ses doigts.

Eugène, cette semaine-là,   s'emballa.

        Très très sérieusement.

        Très très énergiquement.

        Tout seul, glorieusement.

Il s'emballa comme jamais il ne s'était emballé auparavant.

Il lui fut   très   difficile

        d'attendre le samedi suivant :

il découvrit subitement l'impatience.

Lui qui, adolescent, n'avait eu au temps
               qu'un rapport indifférent, désabusé, passif,
               lui qui n'avait rien attendu, jamais,
          était devenu un adulte en attente,
          comme tout le monde,
grâce / à cause de son iPhone, de son trajet quotidien,
attendant vaguement comme tout le monde,   des trucs,
le prochain email, le prochain bulletin météo,
le prochain avion écrasé, les prochaines élections,
la prochaine mort d'un chanteur des années 80,
le prochain attentat à la bombe ;
un adulte avec une attente de poche, comme tout le monde,
une attente à mettre à jour en attendant le métro.
          Toutefois, cet Eugène attendant n'était pas,
          normalement, impatient ;
               il disait rarement *j'ai hâte, je voudrais déjà être à,*
          vivement,
          ce n'était pas un homme pressé,
          c'était un garçon dont l'ennui,
          qui l'avait autrefois habité entièrement,
          avait fini par se loger dans son pouce,
          d'où il battait la mesure du temps qui passe
          en pressant une icône sur un écran.
               Il n'avait pas l'habitude d'espérer vraiment
          quelque chose de précis, de précieux, de puissant ;
          c'était rien de spécial qu'il attendait tout le temps.

               Or tout à coup, son attente indéterminée
               avait pris la forme de Tatiana.
Tout à coup il y avait un *bientôt* à attendre,
          un corps vers lequel tendre,
          ce n'était plus une attente pour passer le temps,
vague, visqueuse,

non, c'était une attente vive, vertigineuse,
une attente nette, en trois mots :
     samedi / Tatiana / Orsay,
               une attente à construire et à ornementer.

Il en rêva il en rêva il en rêva tous les jours, toutes les nuits,
de son visage troublé quand elle l'apercevrait dans la foule,
des choses intelligentes qu'il lui dirait sur Manet et Degas,
               (il lisait et relisait Wikipédia)
     et au cours de cette conversation,
     cette époustouflante évidence qui naîtrait,
     son insistance à lui, son impatience à elle,
     leur hâte de se jeter au lit,   ils prendraient un taxi,
     non, non, ils resteraient sur place, trop de hâte ;
               ils feraient l'amour à Orsay,
derrière la grande statue de l'ours polaire, n'importe où,
n'importe où,
ensuite taxi là pour le coup,
     pour retrouver vite vite le lit d'Eugène,
               (note : changer les draps)
     toute la nuit du samedi, tout le dimanche,
               (acheter pains au chocolat)
et le lundi matin *Je dois aller à la bibliothèque*
Mais non reste   *Non je dois vraiment*   *Allez reste*
Eugène écoute   *Reste c'est plus important*   *Je sais mais*
Mais rien, reste   *Bon d'accord mais juste aujourd'hui*
     et finalement le lendemain et le surlendemain
aussi, et puis – et puis !
     Toute cette frénésie de fantasmes saisit Eugène au
dépourvu,
               il était agité, fiévreux, distrait,
               son impatience de samedi le rendait
               impatient de tout,

son trajet le matin   *bon il arrive le métro ? fait chier là !*
        comme si le métro devait lui amener Tatiana,
chez Bagelstein   *ça vient ce bagel je vais pas faire*
                        le pied de grue toute la journée
        vous êtes pas encore allés pêcher le saumon fumé ou quoi ?
au Monoprix   *caisse rapide caisse rapide*
                        vous me faites bien rigoler
et au travail, le pire, où son impatience prenait des accents
        un brin   passifs-agressifs
        « Je vous saurais gré de bien vouloir répondre
à mon email précédent. »
        « Je constate simplement que vous n'avez pas
encore effectué votre paiement. »
        « Il pourrait être utile, pour que les choses avancent,
que vous preniez la peine de signer le contrat en paraphant
chaque page comme il est d'usage. »

« Ça va Eugène ? T'as l'air un peu stressé. » (Quatrième
collègue en partant de la gauche dans l'open-space)
        « Ça va très bien, j'aimerais juste
        qu'on me laisse bosser. »
                Voire des accents actifs-agressifs,
                heureusement non vocalisés :
        « Fais gaffe au *burn-out* ! »   *et toi à tes burnes*
        « Tu fais quoi ce week-end ? »   *l'amour connard*
Comme Eugène travaillait en trois langues, il s'impatientait
en trois langues,
        J'ai tellement hâte
        Can't wait can't wait
        Ne mogu dojdat'sia
                Samedi Saturday Subbota
                        Tatiana Tatiana Tatiana

Parfois ses propres fantasmes le prenaient de vitesse,
les scènes se télescopaient, anarchiques,
  ne respectaient pas l'ordre chronologique,
    comme si quelqu'un avait enchevêtré les pellicules,
    superposé plusieurs prises de vue ;
il voyait un lit défait au milieu du musée, draps blancs
onctueuse crème fouettée,
elle dessus, nue,   en train de donner sa conférence,
    ou alors, surimposées au sourire de Tatiana,
    des dentelles de petite culotte,
    ou alors en filigrane sur sa peau, les *Nymphéas*,
les bruitages aussi se mélangeaient, il l'entendait parler et
jouir à la fois,
    il l'écoutait discuter de choses intellectuelles
    avec en fond sonore le bruit du lit qui grince.
       Le résultat était surréaliste, un beau Buñuel,
          haché, hâtif, hachuré d'elle.
Il y avait de la créativité en lui finalement, il aurait bien
aimé qu'elle le voie.
    Toutes ces années son imagination avait été là,
    léthargique, à attendre qu'elle la réveille.
Cette question intrigua beaucoup Eugène,
cette semaine-là ;
    mais où était tout ça,
    avant cette semaine ? par « *tout ça* »,
il voulait dire   cette vie,
          cette énergie,
          cette vitesse,
    où était-ce, tout ça, avant qu'elle ne réapparaisse ?
       Cette vivacité, cette rapidité,
    est-ce qu'il les avait déjà en lui ?
       Cette acuité, cette intentionnalité,
    est-ce que c'était à elle qu'il les devait ?

Comme lorsque sur la chaise de l'ophtalmologiste,
un petit disque de verre soudain ajuste
nos yeux au monde, désencotonne notre univers,
et qu'on s'écrie

jamais j'aurais pensé qu'on pouvait voir si clair
c'est incroyable tous ces détails je sais même pas
quoi en faire,

Eugène eut l'impression d'une existence enfin focalisée :
il détectait les interstices, les rouages, les asymétries,
les mouvements miniatures, il entendait les zézaiements,
la mécanique,
les petits battements de cette vie qu'il avait en lui ;
cette vie qui avait été si hâve et vaporeuse avant,
voilà qu'elle était ouvragée
comme une boîte à musique.
Il fut vite convaincu que   lui   seul   désormais
percevait vraiment ce monde et cette vie ;
qu'il était le seul
à en percer tous les secrets.

C'est fou comme j'étais ignorant,
dommage pour les autres ils voient tout flou comme moi avant,
ils ne savent rien les autres, c'est bête pour eux

Je suis sûre que vous reconnaissez ce sentiment.
C'est étonnant, ces amours
qui donnent des contours à nos attentes molles,
des couleurs intenses à nos décors,
qui nous font brusquement vivre en haute résolution,
et nous convainquent que le reste du monde
est tristement aveugle.
Plus tard, quand on est revenu
de cet amour à douze millions de pixels,
qu'on s'est réinstallé dans un bonheur

plus doux et plus pastel,
et qu'on croise dans le regard de quelqu'un d'autre,
quelqu'un d'amoureux,
cette vision lame de rasoir, on sait ce qu'il pense :
La pauvre, elle ne voit rien.
Et on l'envie un peu, mais on sourit aussi
de son arrogance,
on a envie de répondre,
Mais si, j'ai vu la même chose que toi tu sais,
j'ai vu tout ça, je l'ai vu, je le verrai
encore, sans doute, une prochaine fois,
un jour à nouveau je trouverai comme toi les autres bêtes,
j'ai mis et je remettrai, comme toi,
un jour ces étranges lunettes.

Broyé d'attendre, il fut tenté de lui écrire. Il commença
des dizaines de textos et d'emails. Mais il n'était d'accord
sur rien,
ni le début ni le milieu ni la fin

Chère Tatiana
Bonjour Tatiana
Coucou Tatiana
Hola guapa

Je voulais te prévenir que je serai là samedi
« prévenir » c'est un peu menaçant
comme verbe non
Je te verrai samedi *plat*   Je vais sans doute pouvoir me
déplacer samedi *impersonnel*   Je risque d'être là samedi
tournure idiote
Il est possible que je me libère samedi
il est possible que tu me libères samedi

103

Il était conscient que ça tournait à l'obsession.

Chère Tatiana je pense beaucoup à toi
                      depuis l'autre jour   *comment*
Tatiana je ne pense pas à grand-chose
                      d'autre depuis l'autre jour *bien faire*
Ma Tatiana je ne pense absolument
                      qu'à toi seule depuis l'autre jour *flipper*
Ma chère Tatiana il m'est strictement
                      impossible de ne pas penser à toi *une fille*

Donc finalement, il ne lui écrivit pas.

Et puis lui écrire pour lui dire quoi ? Il serait là samedi,
elle le verrait bien.
                      Toutes ces hésitations tenaient aussi
                      à l'incertitude d'Eugène quant au statut
                      des relations de Tatiana
                      avec Leprince.
           Il ne pouvait pas lui faire une grande déclaration
           avant de savoir si elle en pinçait pour ce sale con.
Samedi serait l'occasion de les observer

                                          ensemble
(ce mot *ensemble* tuait Eugène)
                      afin de détecter d'éventuels indices :
ces regards singuliers, tressés de corde épaisse, qu'ont ceux
qui couchent ensemble,
                      surtout quand c'est secret ;
cette tendance qu'ils ont à se toucher l'épaule ou le bras
sans raison,
           ces incompréhensibles allusions
           dessinant des sourires gommés pas assez vite.

104

Leprince joua cette semaine un rôle occasionnel – mais intéressant – dans les fantasmes d'Eugène ;

parfois c'était un antagoniste, le méchant ;
il les surprenait imbriqués l'un dans l'autre
derrière l'ours polaire,
enragé, il les menaçait,

Tatiana disait alors à Eugène
que Leprince la harcelait :
pour la venger, ils se battaient,
Eugène gagnait, évidemment.

D'autres fois dans ses rêveries, Leprince était mentionné lors d'une discussion

sur l'oreiller entre Eugène et Tatiana ;

elle lui disait *non, on couche pas ensemble ;*
on a essayé une fois,
mais il a de graves de très graves troubles
de l'érection.

À cela se résumait la présence de Leprince dans les rêvasseries d'Eugène :

sa vieillesse successivement agressive et impuissante,
obsédée sexuelle, un peu obscène.

Jamais il ne lui vint à l'esprit que Tatiana puisse avoir quelqu'un d'autre en tête, quelqu'un de plus jeune, un étudiant, un ami d'enfance, un mec rencontré sur Tinder.

C'était Leprince l'ennemi, pas un banal Lucas/Thomas/Xavier,

c'était Leprince, c'était
cette colonne de peau plissée

qu'il devrait annihiler pour elle.

(Je ne suis pas psychologue,
et je ne voudrais pas trop m'avancer,
et de toute façon ça n'est pas mes affaires,

mais je subodore que ces fantasmes d'Eugène
sur ce maléfique ou impotent Leprince de ses pensées
auraient peut-être quelque chose à raconter
sur sa relation à son père.)

Enfin le vendredi soir arriva. Dans son appartement sous
les toits,
énergisé comme jamais, pris d'une espèce de rage,
Eugène rangea, changea les draps,
fit le ménage comme un fou, bazarda des douzaines
de bidules,
réagença ses bouquins (Perec devant, Exprim' derrière),
casa une boîte de préservatifs dans le tiroir de la table de
chevet –
l'ouvrir ou la laisser fermée ?
ouverte ça fait le mec qui invite des filles tout le temps chez lui
fermée ça fait puceau
ou alors ça fait le mec
qui vient d'acheter la boîte exprès
qu'est-ce que j'avais fait la dernière fois déjà ?
(la dernière fois remontait à plusieurs mois)
je m'en souviens plus. Je m'en foutais la dernière fois,
je m'en foutais de ce qu'elle allait penser de moi, cette fille-là.
Finalement il ouvrit la boîte, logea les douze cloques
argentées   *juste douze ?*
j'aurais dû en acheter plus dans le tiroir.
Juste avant minuit il re-dérangea l'appartement,
qu'il jugeait maintenant trop sage,
jeta négligemment une chemise,
comme on ne le ferait jamais,
sur un bras de chaise,
refit un peu de bordel sur son bureau,
trois trombones deux stylos

improbablement étalés sur un bazar de billets de concert/
relevés de compte/ carte UGC,
      et enfin il alla se coucher, et enfin,

                ce fut le lendemain, samedi,

enfin ce jour qu'il avait tant attendu,
      enfin ce bus qu'il avait pris cent fois en rêve,
enfin cette guirlande de touristes devant Orsay,
                    inexplicable
      enfin cette porte en verre,
                    rhinocéros
enfin cet ours polaire contre lequel il avait déjà tant baisé,
      enfin cette salle 32 où elle était prête à parler,

              enfin elle !

                  Il l'aspira du regard ;
inventaire désordonné :
          robe popeline turquoise foncé, veste noire,
bottines noires, cheveux noirs attachés,
          mollets ronds répondant aux lèvres rondes,
              montre petite cuir anthracite,
boucles d'oreille perles rose pâle.

Déception de dix secondes –   *ce n'est que ça, Tatiana ?*
                    En rêve,
      il l'avait trop déployée, trop démultipliée,
      pour ne pas être un tantinet dépité,
      pour ne pas voir Tatiana ratatinée par la réalité.
                    Mais,
onzième seconde, joie :

          Oui, ce n'est que ça, Tatiana !

cette unité d'elle, ce seulement-elle
le saisit à la gorge : elle était là, il la reconnaissait :
ce n'était qu'elle, valant mille fois
les mille elles qu'elle avait été.

Cloué par ce miracle,
il la contempla comme une poule un couteau.

De son côté, debout devant son tableau,
si Tatiana fut étonnée
d'apercevoir Eugène planté

entre

Vue de toits   et   *Œillets et clématite*
(Effet de neige)   *dans un vase de cristal*,
                                                        (Caillebotte / Manet
                                                        pour ceux que cela intéresserait)

elle n'en laissa rien paraître.

Tatiana était là
pour parler du *Jeune homme à la fenêtre*,
toile rarement exposée de Caillebotte, collection
personnelle d'un Américain, prêtée exceptionnellement au
musée d'Orsay,
représentant un homme de dos, qui observe par la fenêtre
d'un bâtiment parisien
une avenue presque vide, où marche une jeune femme,
petite ombre au milieu des immeubles haussmanniens ;
derrière elle, un cheval tire un fiacre.
Tout est ensoleillé, d'un blanc de sucre.

                                    Tatiana était là
pour faire découvrir et aimer ce tableau à un groupe de gens
disparates ;
amis du musée, touristes, étudiants, simples curieux ;
et face à elle,   sur le parquet,
assis en tailleur, ronds comme des pommes, une poignée
d'enfants.
                                    Tatiana n'était pas là
pour se focaliser sur quelqu'un en particulier dans l'auditoire,
et même si
quand même   elle était un peu intriguée qu'Eugène
     pas mal ce pull fair isle   soit venu,
                    met en valeur ses épaules
ce n'était pas ça qui allait la détourner de sa mission.

TATIANA   Merci à tous d'être venus, merci, vous   vous
           êtes bien installés, ça va ? ça   pas trop froid
           par terre ? ça va ?
           OK, très bien. Alors, on commence.
           Qui peut me dire   on commence
           question facile
           qui peut me dire ce qu'il y a sur ce tableau ?
ENFANTS   Un monsieur !
TATIANA   Un monsieur, très bien. Qu'est-ce qu'il fait
           qui peut me dire ce qu'il fait le monsieur ?
ENFANTS   Il regarde par la fenêtre !
TATIANA   Il regarde par la fenêtre.   Très bien.
           Qu'est-ce qu'il regarde   à votre avis ?
ENFANTS   Un cheval !!!
ENFANT 1   Chez ma mamie j'ai fait du cheval.
ENFANT 2   Ben moi aussi j'ai fait du seval une fois.

                            109

ADULTE 1   À mon avis il regarde la belle nana !

                                          (*Rires*)

TATIANA   Peut-être qu'il regarde le cheval, peut-être qu'il
           regarde   la dame dans la rue,
           on ne sait pas ;   peut-être que la chose qu'il
           regarde nous est cachée par son corps,
           ou peut-être qu'il ne regarde   rien de spécial.
           Ça vous arrive de juste   regarder
           rien de spécial   par la fenêtre ?

ENFANTS   Oui !!! (des fois je / mais une fois / chut / moi j'ai
           une fenêtre / ma maman / [inaudible] / pas le droit
           de se pencher)

TATIANA   À votre avis,
           pourquoi il est là, à regarder par la fenêtre,
           ce monsieur ?

ADULTE 1   C'est un chômeur ! Il est au RSA, il a rien à foutre
           de ses journées.

                                          (*Rires*)

           Eugène ajouta cet homme-là à sa liste mentale
                             de gens à éliminer :
                 il rêvassa qu'il s'en débarrassait au pistolet,
                                          juste ici,
                 jaillissement de cervelle vermeil-corail,
                      éclaboussures sur le Pissarro derrière.

Puis il passa à des pensées plus douces, il se laissa
bercer par Tatiana qui continuait sa présentation,
ponctuée joyeusement par le chœur des enfants,
interrompue parfois par l'intolérable boute-en-train ;
           il l'observa rétablir l'ordre sereinement, finement,
           de sa voix diagonale, sa voix de flûte traversière,
           mince, argentée, apaisante,
           scindant la foule et son bourdonnement
                                          philharmonique.

110

Ce calme suprême, ce calme soprane, il le voulait pour lui,
                        il voulait pour lui
                        cette étroite musique,
                        il voulait son étreinte rassurante.

Ce besoin allait au-delà du désir érotique,
                ce dont Eugène tira une bizarre fierté ;
pour la première fois,   il s'imagina non seulement
                    qu'il la serrait dans ses bras,
        non seulement qu'il la déshabillait et promenait
sa langue sur ses seins,
        mais aussi et surtout qu'elle l'enlaçait à son tour,
et lui prenait la main,
        avec délicatesse, le sachant cassable.
                (Pensée surprenante, car jusqu'alors,
                il n'avait pas soupçonné qu'il le fût.)

TATIANA   Alors,   au dix-neuvième siècle il y a
                dans la littérature, un type de personne qui
                regarde, qui ne fait rien de spécial,
                à part regarder la ville,   quelqu'un sait
                comment on les appelle,   ces gens
                oui là-bas ?   non pas vous professeur
                vous c'est de la triche vous savez déjà.

Même la présence de Leprince, son ton crâneur,
                Ah, on les appelait, ces gens-là, des flâneurs
la réplique taquine de Tatiana
                                Oui professeur très bien
                                        vingt sur vingt
l'amusement de la foule qui les observait tous les deux,
                n'agaça pas notre Eugène amoureux.

111

Une sorte de certitude était née :

      Tatiana et lui s'embrasseraient, d'ici une heure,

      une heure et demie, et ensuite tout serait très simple.

Il ne serait plus question de performance ou de rivalité,

      elle serait sa soliste, lui donnerait à lui seul

      cette quiétude qu'elle accordait ici à d'autres.

                  Applaudissements.

Eugène se réveilla. C'était la fin, il n'était pas trop sûr de
ce qu'elle avait raconté*,

      Mais,

      confiant, il s'avança vers elle, fendant le bal de visiteurs
qui valsaient les uns entre les autres pour sortir de la salle ;
il n'était pas le seul à aller la voir,

      Leprince aussi avait fait quelques pas, et puis,

            elle était entourée d'amis,

            brouhaha de bravos et de mercis,

mais il remarqua quand même que le regard de Tatiana,
comme une balle de jokari dont l'élastique l'aurait liée à
Eugène,

      rebondissait des autres à lui,

            ne le quittait jamais longtemps,

on aurait dit qu'elle voulait être débarrassée de ces gens
rapidement,

elle leur disait merci pour leurs mercis,

        on se fera un café bientôt,

    très chouette de te revoir oh la thèse ça va oui

        je te raconterai un autre jour,

        je veux pas te retenir,

---

* Que ça n'avait aucune importance en fait, ce que le jeune homme regardait / que tout l'intérêt
de ce tableau était de ne rien exposer / ne rien résoudre / révéler tout en cachant / ou
cacher tout en révélant / que la peinture n'est pas là pour montrer / la peinture peut / mettre
un corps opaque devant une fenêtre et des objets en arrière-plan / et pourtant tout au long
parler seulement / seulement et uniquement / de l'invisible.

toutes ces phrases que l'on jette à une personne pour
qu'elle s'en aille,
elle les jetait en pagaille   à tout le monde,
                    à la prochaine fois merci d'être passé
        elle semblait vérifier par les fissures du mur de gens
(triangles de coudes, courbes de cou)
                        qu'Eugène était toujours là,
un sourire à quelqu'un   *Eugène est toujours là*
la bise à une autre, bise,   bise, bye bye
                    toujours là
serrement de main à un touriste américain qui se mit à poser
une longue question   –
        involontaire signal de détresse à Eugène :
        pars pas j'arrive ;   j'en ai pour
        trois secondes   –   *thank you I'm delighted*
                            you enjoyed it
et puis enfin l'obstacle majeur, le Boss du niveau,
Leprince, qui s'approcha.
Eugène prétendit contempler un tableau
                        pour s'occuper.
Auguste Renoir, ALPHONSINE FOURNAISE.
                        Quel nom ahurissant
                en plus elle a un de ces airs de pétasse
            pourquoi on voudrait peindre quelqu'un comme ça
        La salle était étrangement vide tout à coup,
cube blanc serti de rectangles impressionnistes,
                        silence ;
couinement caneton des chaussures de Leprince.
« Merci d'être venu, dit Tatiana, même si vous auriez pu
laisser quelqu'un répondre à votre place *(rire)*,
je   vous verrai lundi prochain – »
    (coup d'œil par-dessous à Eugène : toujours là)

Mais Leprince n'entendait pas être si rapidement chassé
de la salle 32.

    « Remarquable exposé, exquise Tatiana,
    Passionné, passionnant, émouvant, érudit ;
    Quel beau commencement à ce beau samedi !
    Voudriez-vous passer le reste – *hem !* – avec moi ? »
Il a toussoté s'alarma Eugène
    il doit être putain d'accro s'il a toussoté,
    cet homme de glace,
    ça doit vraiment lui importer cette histoire
        « Ce serait avec plaisir, » répondit Tatiana,
(à ce moment-là Eugène mourut)
        « mais j'ai prévu d'aller déjeuner avec un ami, »
(Eugène ressuscita pour se demander qui)
        « il m'attend là-bas. »
Où ça là-bas ?
    Eugène la regarda,   elle désignait du doigt
Alphonsine Fournaise,
        mais non, mais non ! elle le désignait lui !
    Elle le désignait lui, lui seul, devant cette bonne
vieille Alphonsine,
quelle meuf géniale cette Alphonsine ! Il l'aurait embrassée
sur ses deux joues à l'huile.
    Leprince avait reconnu Eugène, il avait l'air
de moudre des gravillons avec ses prémolaires, il grinça :
    « Ah ! Je vois, dans ce cas, si vous avez, disons,
    D'autres projets avec – d'autres amis, très bien,
    C'est parfait, voyons-nous alors un jour prochain,
    Si vous avez toujours envie de macarons… »
Trois petits points trois petits points de suspension.
                Oh merde pensa Eugène
s'il se met à foutre des points de suspension après ses phrases on
n'est pas sortis de l'auberge

Une fraction de seconde plus tard, Tatiana était là ; là,
en train de lui faire la bise,

       il n'en profita même pas pour lui poser la main
       sur le bras,

comme il avait prévu de le faire
pour qu'elle en soit troublée,
(il fut trop troublé pour y penser) ;
à la place il resta droit comme un piquet.

       « C'est gentil d'être venu, » lui dit Tatiana.

       « Ha ! » fit Eugène.

Pas très informatif comme commentaire,
il avait prévu des trucs à dire, quoi déjà ? Ah oui, lui dire
qu'elle devait être fatiguée

       et qu'il ne voulait pas lui tenir la jambe, mais que
              si jamais elle était libre,

ils pourraient déjeuner ensemble ; ah oui mais zut, elle l'avait
devancé, donc, que dire ?

       « C'était très bien, » dit-il.   *Plus enthousiaste.*

       « C'était, wahou ! »

       « Merci. Tu es libre pour déjeuner ? »

       « Oui, totalement. »   *S'inquiéter de son potentiel*
état de fatigue.

       « T'es pas trop crevée ? »

       « Oh, non non, ça va. »

       « OK-OK, alors oui, nickel, avec plaisir, on peut
       aller déjeuner si t'es d'attaque, mais surtout tu
       me dis si tu préfères aller au lit. »

                        Silence.

mais non   *j'ai pas dit ça*

       « Je te préviendrai si c'est le cas, »
déclara Tatiana. Eugène d'abord catastrophé

             that is not what I meant at all
                 that is not it, at all

choisit finalement de trouver ça drôle,
et ils sortirent de la salle,   elle, tressautant de rire,
lui, toujours mutique mais souriant,

      se demandant pourquoi sa vie était tout à coup
      devenue une comédie romantique,
ou musicale,   enfin ce grand n'importe quoi d'amour,
plein d'hilarantes maladresses, de mirifiques coïncidences,
      justement il pleuvait dehors ;
      aurait-elle oublié son parapluie,
par chance ?

      oui !   et lui ?   *non !*
Elle se tint à son bras, se blottit contre lui,
      six épaisseurs de fringues entre leurs peaux, et déjà
il avait du mal à marcher droit, c'était délirant,

            conclusion :
      cette histoire d'ours polaire était depuis le début
un plan foireux :
jamais il n'aurait pu tenir debout, gros problème d'équilibre,
ç'aurait été

      beaucoup trop acrobate, beaucoup trop trapéziste,
      beaucoup trop dangereux,
on peut pas faire l'amour debout quand on est amoureux,
ça va pas ou quoi, la verticalité ne va plus de soi,

      quand on est amoureux,
      quand quelqu'un est allé nous voler dans notre ventre
      le centre de gravité qu'on y gardait.

Ils continuaient à marcher.
      « Tu connais un endroit dans le coin ? »
      « Oui, rue de Seine, il y a un restaurant de sandwichs
qui passe des airs d'opéra. »

« Normal. »

Ils s'épièrent l'un l'autre au moment de commander,
Eugène passa le premier, demanda un sandwich végétarien,

« T'es végétarien ? »

« Non, mais il a l'air pas mal celui-là, »

et surtout je savais pas si toi tu l'étais, donc je voulais pas me mettre
à mastiquer

    une moitié de petit cochon

      devant ton regard dégoûté

tous les deux évitèrent soigneusement
le houmous à l'ail surpuissant,

  le poivron cru qui fait péter,

  le Coca grande multinationale méchante,

  la sauce pistou qui te fout du basilic sur les dents,

  le thon pêché en abîmant probablement
  des tas de dauphins,

incroyable le nombre de questions qu'on se pose maintenant,
on s'en foutait quand on était adolescents, un kebab, un Sprite et
on finissait la soirée dans une chambre en grand bordel,

  là c'était très civilisé, décisions éthiques sur fond de
musique bouclée (le duo des fleurs de *Lakmé*).

  Ils allèrent se poser sur les fauteuils en skaï,

      crissement de cuisses,

défroissèrent le papier de leurs sandwichs à quinze euros,

  les étudièrent avec intérêt, lui asperges/grana-padano
elle tomates/mozzarella/prosciutto,

se mirent à mordiller ; comment commencer ? *T'as fait quoi*
ces dix dernières années ?

   à l'apogée du duo des fleurs, Eugène se souvint des
enseignements de Patrick Bruel :

      on peut pas mettre dix ans sur table
      comme on étale ses lettres au Scrabble

ô vérité cruelle !

117

Heureusement
Tatiana amorça la conversation,
conversation téléguidée
vers l'obtention d'une certaine information.
« Tu connaissais pas ici ? » « Non. »   « T'habites loin ? »
« Dans le neuvième,
derrière le musée Grévin, j'ai acheté un petit appart
l'année dernière. »
« Dis donc, t'as géré, acheter un appart à Paris
c'est fou les prix. »
digression immobilière nécessaire au téléguidage
« Oh, c'est à peine un appart, plutôt un studio glorifié tu
vois, juste sous les toits,
je t'inviterai si tu veux voir. »
Elle hochait la tête en mâchant.
s'il dit ça c'est probablement qu'il vit seul   >>> creuser :
« T'as des colocs ? »   « Non. »
« Tu vis   *(mâchonnement)*
(air peu intéressé)   seul alors ? »
« Oui oui, seul. »   *Mais seul parce que seul, ou seul*
parce que copine en province ?   « C'est cool d'être sans
attaches, » ajouta-t-elle,
allez, allez, gentille incitation,
incitation à dire si oui ou non copine,
et si copine, si oui ou non relation ouverte,
enfin toutes ces choses à clarifier dès aujourd'hui.
Eugène amusé la dévisageait en douce,
à travers le monde verdi
par la bouteille de San Pellegrino qu'il buvait au goulot,
La Traviata en bruit de fond ;
comme il avait un peu/beaucoup deviné la question,
mais voulait l'entendre la lui poser, il la provoqua
un peu,

118

« Sans attaches, ça dépend de ce que t'entends par là. »

        « Je sais pas, t'as pas de chien, de

de   je sais pas   t'as pas de   enfin j'en sais rien,

de trucs qui te retiennent, une   je sais pas »

        Il le fait exprès se dit Tatiana

                exprès pour que je pose la question,

« J'ai un job quand même, »

dit Eugène *et je sais très bien que ce n'est pas ce que tu veux dire*

        « Un job d'accord, mais ce n'est pas ce que je veux dire, »

                et son habile téléguidage se termina

dans le mur,   *crash*

                « Je veux dire d'autres attaches

                comme

        par exemple, enfin je sais pas – t'as pas de copine

par exemple ? »

        Victoire d'Eugène, sourire-étoile sur le goulot de

la bouteille, « Non,

pas de copine.   C'est ça que t'appelles une attache ?

                C'est pas le genre d'attache qui me

                poserait problème. »

« Ah bon. »

Elle était heureuse-vexée, du coup,

                heureuse qu'il soit seul,

                vexée d'avoir dû presser la confidence.

Mais déjà Eugène, comme pour mettre le compteur à égalité,

lui posait une question-miroir :

« Et toi alors, je délire ou bien

il y a un truc qui se passe avec ton prof ? »

                « Avec mon prof ? Comment ça ? »

« Je sais pas, il te parle de macarons, tout ça. »

                « Oh, ça… »

« Dis-moi si tu veux pas en parler, »

enchaîna Eugène (pas logique).

« Non, non, je veux bien en parler,
mais il n'y a rien à dire, rien à dire
de spécial, non bien sûr qu'il est
lourd, mais non il se passe rien
– tu sais les profs de fac, enfin,
ce serait ni la première fois ni
la dernière, qu'il y en ait qui
draguent leurs étudiantes, mais
moi c'est non, là je suis très carrée »

Très carrée. Jubilation.

« Tu lui as mis un gros vent, en fait ! »

« Pas directement, j'ai besoin de son soutien pour ma thèse
et le post-doc. Donc je joue l'innocente, je fais comme si je
n'avais rien remarqué,
comme s'il était juste évident qu'il ne peut rien se passer. »

          comme si, comme si – il fut frappé de constater
à quel point elle avait mûri,
à quel point elle avait dû, après lui,
intégrer les élans d'autres hommes à ses projets de vie,
maîtriser ce vaste territoire entre oui et non – et lui,
Eugène, qui couchait plus ou moins avec n'importe qui,
qui n'opposait aucune résistance,
                    se tordit d'impatience
                    de savoir si elle lui cèderait ;
il l'imagina
l'acceptant en elle, et cette pensée lui occasionna
une considérable morsure à la pomme d'Adam,
et un brutal engorgement du tissu érectile.
                    Mais cela dura un instant seulement ;
il était moins précipité,
moins empressé que dans ses rêves, et il laissa
leur conversation prendre un autre chenal,

tranquille, boisé, ponctué d'écluses –

changements de sujet, changements de point de vue
– ils parlèrent de cinéma, de leur famille, de leurs
ambitions, de François Hollande, de politique, de leur
travail, de Ryanair, de guerre, de leurs lectures, du chat
Sasha, de Twitter et du nouveau Star Wars (mieux que
les derniers mais moins bien que les premiers),

et tout dans cette discussion était confiance et plénitude,

insouciance et complétude,

non plus terrain piégé, mais œuvre chorale,

accords parfaits, décalés par juste assez de petits bémols,

l'une de ces improvisations où l'on dirait
que les instrumentistes ont répété à l'avance,
où la concorde est si parfaite, et la complicité
si visible et joyeuse, qu'on ne peut pas ne pas

jalouser leur intimité.

Et comme vous, je ne peux pas ne pas envier
Tatiana et Eugène dans ce restaurant de sandwichs,

choristes heureux,

près de la fenêtre adoucie d'un tégument de buée.

Je sais – et l'un et l'autre, sans se le dire, savaient aussi,

qu'ils vivaient là ce que l'on vit si peu de fois,

si peu de temps,

l'un de ces moments comme une bille de mercure,

élémentaire,

où tout est simple, beau, et entier, et précis,
organisé : tout se répond,

ce dont on parle, et le ton de la voix, et ce décroisement de
jambes, et ce hochement de tête,

tout est exactement à sa place, dans cet espace compact
et clair,

rien n'est de trop, et l'on ne pourrait rien retrancher ;
        on papote,   on se sent
        deux petits pois dans leur cosse,
        deux pépins dans un quartier d'orange,
        hôtes jumeaux d'un monde parfaitement ajusté.
Le temps passa, le restaurant s'assombrissait ;
dehors la nuit tombait,
                seize heures trente, pas très tard,
                mais ça voulait dire
                que ça faisait déjà trois heures et demie
                qu'ils étaient là à discuter.
Ils finirent par s'en apercevoir quand une serveuse leur
demanda, « Vous avez tout ce qu'il vous faut ? »
                            Oh oui absolument
        Mais c'est vrai qu'ils étaient là depuis longtemps
dis donc !
        « T'as un truc de prévu peut-être, »
(suggéra Eugène – ou Tatiana, je ne me souviens plus)
        « Non, non, rien de prévu, » répondit l'autre,
        « On peut aller se balader si tu veux. »
                    « Si tu veux. »
        Ils harponnèrent leurs gros manteaux,
        s'embobinèrent dans leurs écharpes,
partirent en balade comme si c'était tout à fait normal,
en toute amitié,
                ils me font bien rigoler, ces deux-là,
personne n'est dupe. Quand ça fait trois heures et demie
qu'on bavarde,
        tu sais très bien et moi aussi qu'il y aura
                tout un tas de frôlements
                lorsqu'on s'extirpera de ce bocal,
                quand on se promènera dans les rues
                chartreuses, crachotant de petits nuages,

tu sais qu'on cherchera, en évitant les lampadaires,
à se faire
tout un tas de drôles d'allusions, de sourires,
                                        et de silences,
tu sais bien, et je le sais aussi, qu'à un moment donné,
            tu me montreras un Space Invader sur un mur
                en t'arrangeant pour m'attraper la manche.
Donc imagine Eugène et Tatiana,
rue de Seine ou n'importe où,
dans ta province ou à Vladivostok, on s'en fout,
faire comme toi et moi, comme nous tous :
frissonner *tain ça s'est refroidi d'un coup*
on va vers où ?
chépa là-bas par exemple
        Imagine-les louvoyer dans la foule
d'un samedi après-midi de février,
        les passants, de grands polochons, ponts de moufles
entre eux et enfants-doudounes, cagoules à pompon,
mourant de chaud ;   tout gris charbon,
        mais sur les trottoirs trempés, des éclats vif-argent
comme de petits anchois,
        ici et là des touches de rouge et d'orangé : feux de
signalisation, bouts de nez.
        Imagine – je te tutoie, j'espère que ça ne te dérange
pas – imagine ce basculement d'ivrogne
        l'un vers l'autre,
cette tension   « 'tention, y a une moto » –
        lorsqu'il la prend par l'épaule pour
        la faire remonter sur le trottoir ;
                « Elle est jolie ton écharpe »
grand classique, toujours mignon,
        le tripotage d'écharpe, caresse par procuration,

et voilà qu'ils s'arrêtent comme il se doit
au parapet d'un pont,
        proches, penchés à la fois sur l'eau
        et l'un vers l'autre,
        la poudre blanchâtre de la pierre tachant
leurs manches, pour soi-disant regarder la Seine,
potée aux choux sous les spots des bateaux-mouches –
        Bon, d'accord, mais :
        Eugène,
                (là je commence à m'agacer)
                (ils ont douze ans et demi ou quoi)
        Eugène,
quand est-ce que tu vas lui proposer de venir chez toi ?
c'est bon, deux secondes, j'y pense, ça va,
        hé Tatiana ça te dit de venir prendre le thé chez moi
                non trop tard c'est pas l'heure ça ferait bizarre
Trente rues, dix ponts, quatre jardins publics,
dix-huit mille sous-entendus, cent trois blagues
trente rattrapages de glissade plus tard,
il est dix-neuf heures trente ça sonne à Saint-Sulpice,
                toujours en train de bavarder ces deux-là,
vous comptez faire combien de kilomètres avant de prendre
une décision ?
        hé ça te dit de venir dîner à la maison   allez vas-y
        « T'as prévu un truc pour dîner ? »
        « Non, et toi ? »
« Non. » « On pourrait peut-être aller » – *chez moi* –
                « à la pizzeria là-bas,
                je la connais elle est bien. » « OK ! »

        C'est pas vrai !
Eugène !   *je sais je sais mais* mais quoi ?
                        t'avais deux mots à dire !

je sais mais c'était   pas le moment
après
le dîner
on verra

      Parti comme ça, le dîner va durer trois heures.
Ils commandent du vin, en plus. Toute une bouteille, ben
tiens, pourquoi pas.

      Combien tu paries qu'ils vont faire traîner ça,
entrée, plat,
tiramisu et tout le toutim. Voilà ce qui se passe quand on est
timoré à ce point.

           Voilà ce qui se passe, aussi,
quand tout est si évident que ça en devient presque
      superflu,   voire incongru,
      de tout faire pour se retrouver nus ;
      c'est comme si tout avait déjà été fait,
      du déshabillage à l'orgasme,
c'est même hilarant à quel point on se connaît déjà,
      alors autant ne pas se fatiguer,
           autant rester à discuter ;
      on a déjà couché ensemble tellement de fois.

oui d'accord mais enfin
quand même ça me gênerait pas de la ramener chez moi
                ah, ça y est, tu te réveilles, toi ?
                un peu enhardi par l'alcool ?
alors vas-y essaie pour voir
      « Tu veux »   *venir chez moi ce soir*
      « – un limoncello pour digérer ? »
      « Avec plaisir. »

             Tu sais ça va pas être
             extrêmement fun
         si vous êtes tous les deux
      trop bourrés pour rester réveillés.

Et deux limoncellos, deux ! Petites topazes à siroter,

                                  et cette fois,

      alors que s'approche vraiment la fin du repas,

j'entends deux tambourins en fond sonore à la soirée,

                  deux douzaines de côtes tapotées

                  avec plus de robustesse.

Les deux, un peu alcoolisés, encore plus appétissants,

      encore plus appelés l'un à l'autre,

      pommettes praline, enflées comme de petits coussins,

      les yeux étincelants – et sourires un peu mieux

boutonnés qu'avant,

      plus timides.

                        C'est le moment.

« Tatiana, » dit prestement Eugène,

             c'était la première fois qu'il disait son nom,

      (pichenette ! rien de plus palpitant que son prénom

prononcé par celui dont on désire les bras autour de soi)

          « je me demandais –

      je me demandais si tu voudrais prendre un verre

chez moi après ? »

          Bien sûr que oui, bien sûr qu'elle a envie,

          évidemment qu'elle va dire oui,

                       n'est-ce pas ?

elle hésite, se raccroche un cheveu derrière l'oreille,

les filles font ça,

quel numéro elles font ces filles !

          Elles font durer le suspense,

elles font rien qu'à faire leurs intéressantes les filles,

quelle comédie,

          « Écoute, Eugène, »   allez, dis oui,

« il y a quelque chose dont on n'a pas parlé »

                               vous parlerez plus tard

            « il y a un sujet qu'on a évité. »

Elle se recale dans sa chaise, s'éclaircit la gorge,

                       oh pitié, non

le sol fléchit sous Eugène   *elle va me reparler de*

                       ce que je lui ai dit

elle va ressortir ça maintenant, alors que tout est si parfait,

            alors qu'il est impératif que je l'embrasse partout

            autour du nombril

        Eugène : « Ah bon, de quoi, qu'est-ce qui… »

« Tu sais très bien, » dit Tatiana.

                               « C'est Lensky. »

    « Lensky ? »

                 Comment ça Lensky ?!

        Eugène commence à hyperventiler.

        Ce n'est pas du tout comme ça que ça devrait

        se dérouler,

à la limite du coup il préfèrerait parler

de ce qui s'est passé entre eux,

il préférerait s'à-plat-ventrir s'excuser

lui hurler qu'il est amoureux,

        tout sauf cette histoire avec Lensky   *pitié*

        « On n'en a jamais reparlé,

        Eugène, on n'a jamais su ce qui s'était passé,

        Olga et moi, ça nous a minées tu sais,

on sait toujours pas,   il n'y a que toi qui sais,

                 seulement toi,

      il faut que tu me dises ce qui s'est passé, Eugène :

      sérieux, qu'est-ce qui s'est passé la nuit où Lensky

est tombé du toit ? »

Pas le choix.

Il va falloir tout expliquer, il va falloir
revenir en arrière à nouveau avant de pouvoir continuer,
c'est ça parfois la vie,
c'est ça parfois les souvenirs resurgis,
            ça empêche de se mettre tout nu,
    alors c'est reparti, on quitte la place Saint-Sulpice,
    et on retourne en 2006
    dans la banlieue feuillue.

4

Quinze ans ! Sangria, sono sur Shakira,
                                          sanglots.
          Tatiana pêche des dés de pomme dans le baquet
          d'alcool, petites éponges cubiques.
Terrible anniversaire. Quinze ans !
                                          Elle ne voulait pas de fête.
C'est Olga qui a insisté, « Allez, frangine,
          qu'est-ce que t'es coincée, tu t'amuses jamais,
          allez, pour une fois, t'auras qu'une seule fois
          quinze ans dans ta vie, éclate-toi, profite ! »
          Profite !
Si elle parlait encore à Eugène, Tatiana pourrait lui dire :
« Ma sœur m'a encore soûlée pour que je *profite*. »
Ils échangeraient un regard entendu.   Oh ! –
déchirure à la poitrine rien que d'y penser,
                              elle ne parle plus
                              à Eugène,
rapport à ce qu'il lui a dit l'autre soir
          (pas le temps d'entrer dans les détails)
          (on verra ça plus tard),
rapport à tous ces rêves qu'il a mis sous scellés ; il lui a
          verrouillé ses quatorze ans, jeté la clef
dans un puits,

131

il m'a claqué la porte au cœur

il a rigolé de voir   tous ses espoirs enfermés dehors,

elle le déteste maintenant   (elle l'adore),

elle ne pense évidemment qu'à lui

toute la soirée.

Cette grande fête de quinze ans se fait donc

avec elle mais sans elle,

dans le jardin décoré par Olga de photophores en verre,

de lanternes chinoises qui hystérisent les pipistrelles,

d'une grande bannière

───── JOYEUX ANNIVERSAIRE ─────
TATIANA

de ballons d'hélium en forme de spermatozoïdes

oscillant vers le ciel noir.   Un vrai *Sweet Sixteen*

à l'américaine,

vingt-cinq invités ! Olga est folle. Vingt-cinq !

Tatiana n'est même pas certaine de les connaître tous, il y a

des cousins, des gens du collège, des enfants de voisins, des

pique-assiettes, des curieux ;

si ça se trouve, elle en a même loué un ou deux.

« Ah, Tania, Tania, chantonne Olga. Toujours en train

de rêver, ça ne te fait pas envie, ces danses ? »

Elle esquisse trois pas,

tire sa sœur vers la piste, sans succès,

Tatiana résiste,

Olga s'agace,

« Tain, même en plein milieu d'une fête tu tires la tête,

prends sur toi, je sais pas, merde,

tu fous rien à part bouquiner, à part rester sur ton

balcon, à soupirer,

en mode Roméo & Juliette h/24, je veux dire,
    meuf, faut te calmer, t'es pas malheureuse quand même,
    regarde un peu comme tout le monde t'aime. »

        Tout le monde *sauf...*
        Tout le monde *mais pas...*
            (etc.)

Ainsi va Tatiana, grincheuse et molle,
    seule non-danseuse entre les déhanchés
    de ses camarades d'école.

        Mais laissons Tatiana à son marasme.
        Ses tourments ne sont pas très originaux,
        vous pouvez aisément vous les représenter ;
et puis Tatiana tristounette me fait un peu bâiller ;
        je la préfère goinfrée de fantasmes.
Passons donc au personnage qui nous intéresse ici :

      Lensky.

Lensky beau, vivant et amoureux :
        il faut imaginer Lensky heureux.

Dans la maison d'à côté, il se prépare :
        T-shirt H&M bleu canard,
jean noir, Bensimon grises,   je l'aime beaucoup
        à ce moment-là,
quand il s'arrête devant la glace pour s'observer un instant,
et corrige sa coiffure comme on biffe une erreur.
    À dix-sept ans, c'est le garçon le plus jeune au monde.
Un vrai poussin,
Lensky – passionné. Tellement de tendresse et d'insouciance
dans ce regard,

ces grands yeux noirs sous des sourcils étonnés, et,
gravitant autour,

    des petits grains de beauté satellitaires ;
sa peau fine, drapée sur une mâchoire mince et légère, comme
en tiges de bambou ;

    un sourire scout, toujours prêt, au cas où quelqu'un
en aurait besoin.

    C'est ça, Lensky, c'est comme ça que je me souviens
de lui :

    un grand petit garçon, un vrai gentil, l'air toujours
    drôle et doux,

        et un peu perdu,
    toujours en train de modeler un ou deux poèmes,
les pliant, les repliant avec la langue
dans ses éternels chewing-gums à la chlorophylle.

      « T'es sûr que tu viens pas ? » crie-t-il,
       du bas des escaliers de chez lui, à Eugène.
« Je t'ai déjà dit non. »   « Tatiana serait contente
       de te voir, tu crois pas ? »
« Non, je crois pas. »   « Comme tu veux ! À tout' ! »
et il sifflote en partant,
un air de John Denver, *Leaving On A Jet Plane* ;

Eugène à cet instant trouve ce sifflotement
       extrêmement   irritant.
Depuis quelques jours, depuis ce qui s'est passé avec Tatiana,
il est,   comment dire,
je ne dirais pas qu'il se pense coupable,
ou qu'il se sent morveux,
      mais en tous cas il est nerveux,
      moins tolérant envers les amoureux.

    Il souriait, avant, des élans de Lensky ; aujourd'hui,
    honnêtement, il a envie de lui en coller une, à ce clown,

avec sa romance de jeunesse à la con, vouée à l'échec,

c'est vrai ça, comment ne voit-il pas, cet abruti,
qu'Olga le plaquera dans quelques mois,
ou bien alors que lui, Lensky,
se lassera d'elle, comme on se lasse toujours ?
Qu'est-ce qu'il espère ?

Lui écrire des sonnets tout le reste de sa vie ?

Quel putain de prince charmant, ce mec.
Des souvenirs reviennent à Eugène,
déjà quand ils se sont rencontrés, à treize ans, sur des forums
de jeux vidéo,
Lensky c'était le pigeon qui fantasmait sur Lara Croft et
qui disait

non pas *je veux la baiser*, mais *je veux l'épouser*,
je veux vivre dans le manoir des Croft avec Lara.

Ben va jouer aux Sims, puceau,

va jouer à Carmen Sandiego, je sais pas,
va construire ta petite ville sur SimCity, c'est ça qu'ils font
les bouffons comme toi
qui veulent montrer leur bite à une seule fille dans leur vie.

Pourtant à l'époque, Eugène n'avait pas dit ça.
Il avait été interpellé, à treize ans,
par les tranches de poèmes que Lensky mettait en signature
à ses messages,
par le drôle de génie de cet enfant sage.
Ils s'étaient rencontrés, étaient devenus amis.

Lensky avait beaucoup d'amis,
mais Eugène était le meilleur,
l'énigmatique, le brillant meilleur ami –

Lensky se flattait qu'il s'intéresse à lui,
il admirait Eugène comme un grand frère.

Eugène, content de se savoir supérieur,
               avait peu à peu oublié, peut-être,
          que Lensky était en fait
          son seul véritable ami.

Voilà.   C'est donc son seul véritable ami
          qui énerve tellement Eugène aujourd'hui.
Il ressent une espèce d'appel du vide, un désir de casser
quelque chose,
          de préférence quelque chose de très joli, un soliflore,
          une petite coquille rose,
          une chose dont la présence au monde rend le monde
          meilleur,
          une chose qu'il faudrait être fou pour démolir,
qui croustillerait sous ses pieds quand il l'écrase.

C'est comme ça que tout commence.
Il veut vertigineusement cette destructrice croustillance.

               À partir de là, tout ne peut qu'aller mal.

Eugène n'est pas dans son état normal.
          Il est en mode *putain qu'est-ce que je m'ennuie ce soir*
          en mode *qu'est-ce qu'ils ont tous à me casser les couilles*
en mode *tiens si j'essayais de gâcher ma vie pour voir*

Il est presque minuit. Il met son fut' et sort de chez Lensky.
La porte du jardin chante sur ses charnières en pivotant.
                         Tatiana l'entend.
Elle sait qu'il est là, sans même se retourner : c'est la petite
musique que fait la porte uniquement quand elle est poussée
par Eugène.   C'est son thème.
Est-il là pour s'excuser, pour venir la faire danser ?

Il s'avance.   Vers   –   vers elle !

                                          Vers elle à qui Olga ressert
                                          un verre de vodka,

       il marche chaloupé, elle se sent faire naufrage,
elle ose deux pas de plus,   il s'interpose.
« Eugène ! s'écrie Olga,   qui lui fait la bise,
              – Tatiana n'a pas droit à une bise –,
je pensais que t'avais dit que tu venais pas ? »
« Ben tu vois, je suis là. »

         Il évite soigneusement de regarder Tatiana,
       ce qui est difficile car il est face à elle,
son regard scie circulaire décrit d'acrobatiques courbures,
comme pour la découper de son champ de vision,
Lensky lui fait un grand signe   *Qu'est-ce qu'il veut ?*
avec la louche de la bassine à sangria,

                                          « Hé mec ! T'es là ! »

(Ça me trouillote le cœur de revoir Lensky comme ça,
si heureux qu'Eugène ait changé d'avis,

                                          putain
je croyais pas que ça serait si poignant d'y repenser,
à Lensky et son coucou avec sa louche en inox,
              coucou auquel son pote ne répond pas.)

Pourquoi il calcule pas Lensky se demande Tatiana,
et pourquoi il me calcule pas moi,   et là, soudainement :

                     « Tu viens danser ? » demande Eugène

                     à Olga.

                                          Tatiana tressaille.
Olga, un peu surprise :
« Ouais, si tu veux !

                             137

Te connaissant, j'aurais pensé
que tu détestais les Black Eyed Peas. »
Bien sûr qu'il déteste les Black Eyed Peas,
c'est Eugène ! bien sûr qu'il conchie cette non-musique.
Qu'est-ce qu'il fabrique ?
s'alarme Tatiana, qui a pressenti peut-être
qu'il se tricote beaucoup trop de mailles dans sa tête,
Eugène, ce soir, qu'il est en train de s'enfileter
dans je ne sais quoi,
et que ça n'a pas grand-chose à voir avec Olga.
Mais qu'est-ce qu'il fout ?
Lensky, pas troublé du tout, applaudit et siffle de voir son pote
danser collé à sa copine, il danse lui-même un peu avec
une autre fille,
les deux couples s'enroulent, se repartagent, se reséparent.
Difficile de savoir   si Eugène y prend du plaisir :
il a sa tête d'escrimeur, visage grillagé,
absolument impossible à lire ;
il danse une drôle de danse sismique,
sèche, pleine de secousses,
assenant des coups de semelle à la terre
comme s'il voulait la crevasser.
Tatiana les observe ; un sentiment diffus de drame,
l'impression d'une catastrophe imminente,
lui grimpe au cou,
quand tout à coup

« JE VOUDRAIS,
MESDAMES MESDEMOISELLES MESSIEURS,
RENDRE HOMMAGE
À NOTRE REINE DE LA SOIRÉE ! »

Tatiana se retourne horrifiée. C'est un roquet de sa classe, Patrick Triquet,

qui s'est emparé d'un micro relié à la sono,

quel imbécile celui-là,

« J'ai trouvé sur Internet une chanson parfaite pour l'occasion ! » s'excite Triquet,

et voilà qu'il bêle une ânerie reprise en chœur par les autres invités :

> *À cette fête conviés,*
> *De celle dont le jour est fêté,*
> *Contemplons le charme et la beauté !*
> *Son aspect doux et enchanteur*
> *Répand sur nous tous sa lueur.*
> *De la voir, quel plaisir, quel bonheur !*
> *Brillez, brillez toujours, belle Tatiana !*

Génial. C'est tout ce dont elle avait besoin, elle qui déteste être au centre de l'attention,

la voilà entourée d'une chenille de copines et de copains,

l'enroulant dans cette chanson

comme une momie dans ses bandelettes.

Brillez, brillez

Par les interstices, derrière les têtes hilares, elle aperçoit quelque chose   de bizarre   mais qu'est-ce qui s'est passé ?

toujours belle Tatiana !

mais foutez-moi la paix enfin

là-bas dans l'ombre des arbres il y a

Eugène et Olga qui dansent   sur rien, pas de musique, ils dansent un slow sur du silence

où est Lensky ?

oh

il vient de s'en apercevoir aussi

mais qu'est-ce qui se passe ?

Tatiana troue la foule, jette de côté

les chanteurs alcoolisés,

que foutent Eugène et Olga ?

Tatiana se contracte, une peur intense l'étreint,

pas de la jalousie, non, de la terreur,

de la terreur –

Lensky est déjà arrivé, il les aborde,

un grand sourire aux lèvres, mais plus crispé tu meurs,

tu meurs.

« Hé, vieux, dit-il, et il rigole, ça va, je te dérange pas ? »

« Ça va, » rigole Eugène aussi.

« Ah ben si ça va, tout va bien,

et toi aussi chérie, ça va ? »

« Ça va, c'est bon, pépie Olga, on s'amuse, ça va, Lensky,

Putain, ce que tu peux être possessif parfois ! »

(C'est tout à fait injuste, je précise ;

Lensky n'est pas

possessif pour un sou, le pauvre,

il est tellement convaincu de l'amour d'Olga

que rien

ne pourrait lui faire croire qu'elle ne lui appartient pas.

Ce n'est pas de la possessivité, c'est de la foi.

Et s'il est jaloux ce soir, c'est bien la première fois,

et c'est aussi qu'il a une bonne raison quand même,

puisqu'Eugène a les bras autour de sa copine,

les lèvres   à dix centimètres des siennes.)

Olga fait une drôle de mine, non dénuée   de morgue,

oui, d'un peu de cruauté,

quoiqu'elle ne soit pas très fière d'elle,
ça se voit à ses pieds qui se tordent.

Encore maintenant,
        je me demande ce qui s'est passé dans la tête d'Olga,
        ce soir-là,
        pourquoi, alors que tout allait si bien,
        alors qu'elle n'était pas bourrée ni rien,
        elle s'est laissé séduire
par Eugène,
        qui ne la séduisait pas,
        par Eugène qu'elle n'avait jamais vraiment apprécié,
        qu'elle trouvait arrogant et négatif, pourquoi,
        pourquoi lui, pourquoi ce soir, pourquoi ?
Peut-être que c'était déjà un peu fini avec Lensky,
je ne sais pas,
j'ai pas trop suivi leur relation, mais je pense
                                    – comment dire,
        je pense que quand les gens font ça,
        ce n'est pas entièrement une erreur,
        je pense qu'Olga ce soir précipitait
                une rupture dont elle sentait arriver l'heure.
« Attends, articule Lensky, mais tu fais quoi ? »
                        « Mais rien ! Laisse-moi ! »
Il ploie comme un jonc.
« Qu'est-ce qui va pas, t'en as marre de moi ? »
                Roulement d'yeux d'Olga.
                        « Lensky, pourquoi tu t'excites ? »
« Je m'excite pas, mais excuse-moi,
        t'as vu comme tu repasses
        ta minijupe avec sa bite,
                excuse-moi,
j'ai pas le droit de voir ça comme une menace ? »

141

Tatiana grince des dents à cette idée subite
                        (qu'elle n'aurait jamais eue elle-même),
et Olga, comme pour octroyer à celui qui l'aime
                        le droit de voir ça comme une menace,
                                pose un ferme baiser,
                                trop soudain et sans joie,
                sur les lèvres d'Eugène, que ce geste agace,
qui donc y rajoute une sorte de morsure
                                de sa fabrication,
                                et cette agressive embrassade,
ces langues qui se boxent et ces bouches qui se torsadent,
semblerait presque passionnée,
                        alors qu'il est tellement maussade,
ce baiser,   sinistre comme un baiser de film refait
                        dix fois,
                il a le goût du gloss à la pastèque d'Olga
                et de l'échec de cette soirée-là,
                et quand elles se séparent enfin, leurs lèvres rondes
                semblent noter ce baiser d'un beau zéro   pointé
                par de sceptiques fossettes au menton.
Seul Lensky a vu ; Tatiana a sagement choisi de se retirer
du monde.
                Elle a fermé les yeux tout le long.
Quand elle rouvre à nouveau les paupières,
                elle voit Olga et Eugène pas très fiers.
Lensky, comme terrassé par un éclair
répète, « C'est pas vrai, dis ? C'est pas vrai ? Tu me quittes ? »
                        et Olga finalement qui marmonne :
                                « Oh là, ça va,
                                t'arrêtes de tout prendre au tragique ? »
                Eugène : « Mec, c'est bon, y a pas de problème,
                je te la rends, ta meuf, ça va. »
                        Ils se désemboîtent, un peu dégoûtés,

Eugène une paillette de gloss sous le nez,
        « Vas-y, vieux, c'était pour te taquiner,
                t'arrêtais pas de dire qu'elle était bonne,
j'ai voulu vérifier. »
Tatiana s'aperçoit que Lensky s'appuie sur elle,
        ou elle sur lui,   enfin ils s'épaulent,
et silencieusement,
se comprennent – tous les deux en pleine perte de pétales,
comme des pivoines, mes fleurs préférées, si fragiles,
        que le soleil lentement tiédit,
        dont la brise avec précaution écarte les corolles,
        et qui, enfin glorieusement ouvertes,
                d'une simple chiquenaude s'émiettent ;
plop,   plus rien ne reste qu'une petite tête chauve,
                et dessous, un monticule de confettis.
Lensky et Tatiana sont ces pivoines défaites
        sous les soleils refroidis
        de leurs éphémères amours :
        leur floraison aura duré   un tout petit été.
C'est frêle,
ces jeunes personnes tellement éblouies par le jour
        qu'elles ne se sont pas apprêtées pour la nuit.

Tatiana glacée ne tient en un morceau
que parce qu'elle serre ses bras autour de sa poitrine comme
un écrou ;
        Lensky n'a pas, apparemment, cette force ;
        il s'écroule,
répétant, *tu me quittes, tu me quittes*
                Olga s'agace : « Lensky, t'es pathétique. »
        Lensky : « Mais Olga – tu m'aimes ? »
Olga : « Écoute, arrête de te prendre la tête. »
                        « Mais tu m'aimes ? »

« Ça n'a rien à voir. »

    « Mais pourquoi t'as fait ça ? Je comprends pas. »

Je comprends pas. Il a dit ça
               d'une voix biscornue, une voix désaccordée,
une voix qui bouleverse Tatiana ;
               c'est le *je comprends pas* diésé, démesuré,
de celui qui en réalité comprend très bien, et une chose très
précise : qu'on n'est pas protégé,
      que tout arrive comme ça sans avertissement,
      sans compassion ni sentiment,
      qu'on est absolument seul
      quand les souffrances viennent.
             Un *je comprends pas* déjà bien intégré par Eugène,
qu'il lui a toujours semblé utile de propager,
et pour lequel il trouve que Lensky devrait le remercier.
      C'est fini pour Lensky,   c'est fini les illusions,
c'est fini les câlins, les petits mots mignons,
il était temps, il était grand temps de lui faire voir la vérité.
                     Alors, non sans curiosité,
Eugène observe Lensky en train de se disloquer.
             Il se brise bien, cet objet précieux,
ce Lensky qui rendait le monde un peu plus lumineux,
             il croustille très bien sous ses pieds.

Ça pourrait en rester là.
Lensky, mains tremblantes,
           menton en avant, petit citron plissé,
           boule de larmes à peine bloquée
           par une luette dure comme du fer,
           s'apprête à partir.

    Dès lors, deux scénarios possibles.

Soit :

Lensky rentrera chez lui.
Ce soir,
Eugène reprendra
ses affaires dans l'armoire,
et retournera à Paris.
Ce ne sera
ni la première fois,
ni la dernière
qu'une amitié
se terminera ainsi.
Ils s'engonceront dans
une solitude en pâte à sel,
irritante, saveur lacrymale,
se regrettant
l'un l'autre,
trop fiers pour l'admettre.
Et après
la terminale,
ils se seront presque oubliés,
et de cette soirée-là,
ils se diront c'était
une sifflante leçon de vie,
ça m'a coûté un bon pote
cette histoire,
mais ça m'a appris
qu'en amitié
comme en amour,
durer toute la vie,
c'est impossible et
faut être con pour y croire.
Toute façon y en a d'autres,
des filles et des amis.

Soit :

Lensky rentrera chez lui.
Ce soir,
Eugène reprendra
ses affaires dans l'armoire,
et retournera à Paris.
Il se sentira
pour la première fois,
et sans doute la dernière,
un peu coupable
et démuni.
Après quelques jours
Lensky passera un appel,
Mec, ça te dit un MacDo
et devant leur Filet O'Fish
ils seront heureux,
trop fiers pour l'admettre,
de se revoir.
Ils évoqueront à demi-mot
parfois,
cette soirée-là,
parce que les filles d'accord
mais vieux,
ce qui compte c'est
les amis,
on est d'accord
c'est les amis et *oh ta gueule*
bouffe tes frites au lieu
de dire des conneries
quel salaud cet Eugène
dira Lensky
enfin bon ça reste
mon meilleur ami

145

Deux possibles, donc, en réponse à ce soufflet ;

       dans les deux cas, raisonne l'impitoyable Eugène,

      il se sera passé quelque chose ;

                  ce sera *intéressant*.

Alors il considère avec une curiosité toute chirurgicale

    cette amitié ventre ouvert,

    épinglée sur un panneau de liège,

    soit future pièce de musée,

    soit future grande miraculée

    de cette dissection brutale.

    Mais tandis qu'il en détaille les intestins blêmes et
les chairs roses,

               le sort s'interpose,

    ou plutôt la foule des invités, qui s'est resserrée,

    qui a cessé de chanter,   et qui sait fort bien,

                    elle,

ce qui doit se passer.

        Ce qui doit se passer, ce n'est ni l'un
ni l'autre

        de ces deux scénarios.

Hé gros ça va pas ou quoi

                  carrément tu te laisses faire

                  ta meuf c'est open bar ?

    La foule ne veut surtout pas laisser s'éloigner
ces deux orgueils :

    un orgueil c'est rouge, ça brille comme

    une orange sanguine : ça se cueille

    à vif, ça exige d'être pelé, pulpé et éclaté

une fois que c'est mûr,

tain vas-y l'autre il se tape ta meuf, à ta place je lui pète la gueule

ce serait trop dommage de les laisser s'assécher,
ces deux orgueils,
alors qu'ils pèsent si lourds sur les branches des regards
qui s'étirent   l'un vers l'autre   entre Eugène et Lensky.
t'es une tapette ou quoi mec
                              nan sérieux faut que tu te le fasses, là
          obligé

obligé   la foule opine   *obligé*
        les visages oscillants rivés   *obligé mec*
sur les fruits si bas   *trop d'accord frère là t'es obligé*
        l'intense vermillon de ce que chacun devine
              des intérieurs charnus, vernis,
              des orgueils d'Eugène et de Lensky.
        Ils sont trop beaux pour être autorisés à se rabougrir,
ces deux orgueils,   la foule veut les voir s'ouvrir :
        l'un, au moins, doit éclater.   *obligé*

Alors Lensky et Eugène s'éloignent, opiniâtres,
        chargés comme des mules de leurs orgueils boursouflés,
              tandis que devant eux gambadent
                    leurs destinées hâtives,
                        et la foule les regarde partir, émerveillée,
                              car les enfants s'émerveillent
de voir s'éperonner, dans le bocal où ils les tiennent captives,
                        une guêpe et une abeille.

Et puis ?   Ensuite ?

Ensuite tout ira très vite,
              on retrouvera
                    l'un d'eux en haut, l'autre en bas
de la maison d'à côté.   Que s'est-il passé ?

147

Dis-moi tout,
que s'est-il passé sur ce toit ?   Ô Eugène,
chante-nous la colère de Lensky, colère funeste,
qui précipita sa chute ; chante-nous ces instants derniers
dont tu n'as dit à la police que cela :

                              « Je suis arrivé trop tard,
                                    je n'ai rien pu faire,
                                        je l'ai juste vu

                                              tomber. »

Eugène, toutes ces années plus tard,
nouvel interrogatoire. Que s'est-il *vraiment* passé ?

EUGÈNE	Je voudrais déjà dire
	que je ne l'ai pas poussé.
MOI	Je ne t'accuse pas.
EUGÈNE	Tu insinues
	que je n'ai pas dit toute la vérité.
MOI	Je n'insinue rien. Je te demande
	de nous expliquer.
EUGÈNE	On est partis. Arrivés chez lui,
	il m'a dit : *rendez-vous sur le toit*. Il est
	monté. Je l'y ai retrouvé peu après,
	il m'a dit : *ma vie est fichue, tout est fini,*
	et puis il a sauté. Je n'ai rien pu faire.

148

MOI   Recommence. Ajoute des détails.
                        On ne comprend rien à cette affaire,
                        fais marcher ta mémoire, Eugène,
                        c'est important,
                        réexplique-nous en prenant ton temps.

EUGÈNE   On est partis. Arrivés chez lui,
                        tout dans la maison était calme
                        et silencieux, ses parents étaient couchés,
                        le chien dormait, on n'entendait que
                        le vrombissement du frigidaire…

MOI   Eugène,
                        arrête de te foutre de notre gueule.
                        Qu'est-ce qu'on en a à branler du frigidaire ?
                        Raconte-nous ce qui s'est passé.
                        Raconte-nous ce à quoi tu pensais,
                        décris-nous Lensky et sa détresse, putain,
                        je veux bien que tu ne sois pas écrivain,
                        mais tu peux faire un petit effort.

Eugène soupire.

                        « D'accord. »

EUGÈNE   Lensky est mort
                        plusieurs fois. On n'a qu'à commencer par là.
                        Il est mort plusieurs fois cette nuit-là,
                        la première dans le jardin,
après cet incident idiot avec Olga ; *reality check*, le choc,
c'est son enfance qui est morte là, et à l'époque,
j'avoue, j'ai été dur. J'ai pensé qu'il n'avait pas été assez fort,
                        pas assez mûr. J'ai pensé qu'il avait été négligent,
                        qu'il aurait dû se construire une armure,
                        je le lui avais bien dit pourtant :

                                149

Lensky, la vie n'est pas gentille et elle n'est pas morale,
       la vie elle n'est pas telle que tu le crois,
Lensky, il n'y a pas de bonne étoile.
                   Je lui avais dit ça des dizaines de fois.
Mais il me répondait en rigolant, *Eugène, ce que tu peux être*
pessimiste,
       c'est d'un triste ta vision de la vie, et pendant ce temps,
              nous tous autour de lui on était occupés
              à se forger des boucliers
              en aplatissant nos rêves sur l'enclume de la réalité,
mais lui, Lensky, il était pas prêt quand l'assaut est venu,
c'était un peu de sa faute,
on pourra pas dire qu'on l'avait pas prévenu –
              ça, c'était mon point de vue à l'époque.
       Et donc, quand je l'ai vu apathique,
              j'ai pensé qu'un jour il verrait
              que sa tristesse était vraiment trop conne,
       qu'il s'apercevrait qu'une petite rupture n'a jamais tué
       personne,
              que c'était une bonne expérience
              pour lui, qu'il me dirait
              t'avais raison.
Je sais pas pourquoi, mais j'ai toujours aimé donner
des leçons.

Moi   J'ai remarqué. On en reparlera.
Eugène   Je n'en doute pas.

       Donc, il m'a regardé et il m'a dit, « On se retrouve
       sur le toit. »
Le toit, c'est là où on se fumait des joints lui et moi,

soufflant la fumée vers la grande arche de la Défense ;
c'était l'endroit où on se faisait des confidences.

       Je me hisse par le vasistas.
       Il est au bord du toit.
Debout, bras tendus, asticotant le vide, ce salopard.
Je balise,
je lui dis

    « Lensky, c'est quoi ce numéro de funambule,
    me dis pas que t'es tenté de faire
    comme ces garnisons de blaireaux
    qui se suicident par amour,
    je pensais que t'étais un peu plus original
    comme poète maudit,
    me fais pas regretter de t'avoir choisi
    comme ami. »
Lui me répond (entre ses dents) :
    « Viens me rejoindre. »
       Je devine derrière : *si t'es cap.*
Je comprends que les autres l'ont convaincu de se battre.

  Il est au bord du trou ; en ombre chinoise,
des branches d'arbre derrière lui comme des bois de cerf,
et puis au fond, la lune dans un pouf de nuages.
Je m'approche. Le toit est recouvert d'ardoise,
    pas très pentu, mais glissant.
    Je suis en chaussures bateau, lui en Bensimon.
    C'est moi qui colle le mieux au bâtiment.
Je lui dis,   « C'est quoi ton trip, mon gars,
    tu veux te battre pour elle ?
    Tu sais que j'en ai rien à foutre. »
       « C'est un duel. »
Un duel. Il me dit ça comme ça : un duel.

Et je croyais que c'était moi le mec en retard sur sa génération. Un putain de *duel*.

« J'ai pas de second, je plaisante.

Et pas d'épée non plus.

Lensky, fais pas le con, allez, viens,

on va jouer à Mario Kart. »

Je lui envoie des trucs comme ça pendant cinq minutes.

Réglons ça comme des hommes sur Street Fighter. Ouvrons une bière, lisons

du Lautréamont.

Tout pour le faire redescendre dans la maison.

Ça ne marche pas.

Il veut toujours que je le rejoigne, il ne bouge pas.

MOI   T'as peur, à ce moment-là ?

EUGÈNE   Franchement, non. Je me dis que

c'est vraiment trop stupide,

mais d'un côté ça me séduit aussi,

tu vois, j'ai l'impression

qu'enfin, tout l'univers donne raison à mon grand système,

mon grand système philosophique,

qui veut que personne ne nous aime,

qu'un rien nous élimine,

que l'existence est arbitraire et despotique.

J'étais très jeune à l'époque, je m'en aperçois maintenant.

J'étais très jeune.

T'as le droit de te foutre de ma gueule.

J'étais très jeune. Et très bête.

MOI   Et très seul.

EUGÈNE   Oui, peut-être.

                    Tu vois

                              maintenant que j'y repense,
        je me dis que ce duel,

                              c'était un duel entre
                              nos deux adolescences,
            la mienne nihiliste   la sienne idéaliste,
c'est sûrement un peu simpliste comme opposition, mais
quand j'ai posé les pieds sur le rebord de ce toit, et qu'il m'a
attrapé les bras,
j'ai pensé qu'on avait tous les deux déjà perdu :
        lui   parce qu'il avait foiré son pari
                  d'être heureux toute la vie
                  (illusion d'abruti)
        moi   parce que je n'avais jamais vraiment
                  cru qu'on puisse mourir
                  pour quelqu'un qu'on aime.
J'imaginais pas qu'il allait vraiment le faire.
              En tombant, il m'a prouvé le contraire ;
        finalement c'est lui qui est resté fidèle à son système.

Moi   Attends, tu sautes une étape.
             Comment il est tombé ?
Eugène   Je me souviens plus trop.
Moi   Eugène…
Eugène   On a eu une espèce de danse déséquilibrée,
             ses mains dans les miennes.
             On a échangé trois mots.
             Il a fait une petite tirade.
Moi   Une tirade ?
             Qu'est-ce qu'il a dit exactement ?

                            153

EUGÈNE   T'es mignonne, tu crois
                que je m'en souviens maintenant ?
                Je me souviens même pas
                        de ce que moi j'ai dit à Tatiana.
                                        Pas un mot, rien.
                Je me rappelle presque rien de cet été-là.
                Choc post-traumatique,
                ça te dit quelque chose ? C'est trop tard.
                        J'ai effacé tout ça de ma mémoire.

Alors je reprends les rênes, puisqu'on ne peut pas faire confiance à Eugène.

Connaissant Lensky, il ne serait pas parti comme ça, sans rien dire.

C'était un garçon qui frémissait de mots. Avant de mourir, il a forcément fait un discours. Sur lui, sur son amitié, sur son amour,

sur toutes les choses qu'il avait perdues ce soir-là.

À mon avis, ça a donné quelque chose comme ça.

Tirade de Lensky

D'un coup,   d'un coup,
d'un coup elle s'est cassée,   ma jeunesse,
        elle qui était dorée comme toute jeunesse doit l'être,
elle qui n'avait d'autres raisons d'être
        qu'Olga, la poésie, et toi,
        et le soleil et les spliffs sur ce toit.
Qu'est-ce qui se passera demain ?

                        Qu'est-ce que je vais faire,
                quand je me réveillerai sans ma jeunesse,

154

avec dix mille ans de plus, et pas plus d'expérience –
                              pas plus d'intelligence,
parce que l'ennui c'est pas une sagesse,
        la tristesse c'est pas un grand projet éducatif…
        Moi je vous aimais tous même si vous étiez nuls
        parfois et fautifs,
        j'aimais tout le monde, hier encore,
hier j'avais seulement de l'amour dans la tête,
        j'avais l'existence belle, vous me l'avez rendue bête.
        Oh Olga !
Si tout est décidé, si les dés sont déjà jetés,
        si c'est comme ça qu'on doit en finir,
                              promets-moi,
        promets-moi que tu lui diras
        que je l'aimais,
que j'avais pour nous deux des dizaines de millions de projets,
        des promesses à tenir et des éternités à remplir,
                              demande-lui
qu'elle ne m'oublie pas comme le monde le fera,
qu'elle se souvienne de moi,
        moi qui lui écrivais des poèmes,
        moi qui l'aime, et elle qui m'aimait.
        Je m'en fous que ça te fasse rire, tu sais,
de nous deux je suis le seul à avoir vu la vérité en face,
je suis le seul à pas m'être fait une carapace,
                              pas parce que j'étais inconscient,
non, mais parce que j'étais vivant   à l'époque,
        j'étais vivant,
        j'étais léger, fragile, peut-être,
                              mais libre – et ta cuirasse,
        Eugène, un jour tu t'affaisseras dedans,
                              tu crèveras dedans.

155

Olga, c'est pour toi,
c'est pour toi qui me désarmais
que mon âme est restée désarmurée,
c'est pour t'avoir pour amante
que j'ai retardé le moment de m'armer, et
          d'un coup,   d'un coup,
d'un coup   elle s'est cassée, ma jeunesse,
elle qui était dorée comme toute jeunesse doit l'être,
elle qui n'avait d'autres raisons d'être
          qu'Olga, et la poésie, et toi,
          et le soleil et les spliffs sur ce toit.

                              C'était à peu près ça ?

EUGÈNE   Je sais plus. Ça pourrait, en tout cas.
               Mais il faudrait l'imaginer avec sa voix.

Il a raison. Imaginer tout ça dit par Lensky, de son timbre
ample et chaud,
          de sa voix qui a mué un peu mais pas trop.
Imaginez une voix qui est comme ce texte, gauche et
grandiloquente,
     passionnée et preste, trop lyrique,
     avec en fond sonore, l'une de ces mélodies synthétiques
     qu'il utilisait pour enregistrer ses morceaux de slam.
Retournez lire le texte avec cette voix-là dans votre tête.
                         Je vous attends ici.

                              C'est fait ?

Alors, paix à son âme.

Il aurait pu mieux faire, s'il avait trouvé le temps,
mais il était si jeune que jamais l'on ne pourra dire,

il a écrit quelque chose de grand

simplement l'on dira :   *il y avait en lui une promesse*

Si jeune, si jeune ; si jeune qu'il est difficile
de dire qui il était,

et donc ce qu'exactement on regrette :
on ne pourra regretter, peut-être, que cette promesse
pétrifiée ; préservée pour toujours,
entraperçue par transluscence,
comme une graine dans la glace,
petite promesse jamais germinée.

Repose en paix, Lensky !
souvenons-nous ici
des derniers mots que tu as prononcés.

EUGÈNE	Ils ne sont même pas de lui.
MOI	Ils auraient pu l'être.
	Ils le reflètent assez bien.
EUGÈNE	Je peux continuer ?
MOI	Je croyais que tu ne te souvenais de rien.
EUGÈNE	Tu me laisses parler ? Je me souviens…

Je me souviens
que j'ai fini par lui donner la main. J'ai cru que j'allais
pouvoir le faire changer d'avis.

J'ai voulu l'entraîner plus haut, vers le vasistas.
Il a résisté.
C'est lui qui m'a poussé d'abord…

MOI	Il t'a poussé ?
EUGÈNE	Oui.

mais en y repensant,   il ne m'a pas
poussé très fort.   J'ai titubé.

Il m'a rattrapé. Il m'a poussé encore,
                              mais franchement,
ce n'était toujours pas très fort,   maintenant je me dis :
il était pas dedans. Il voulait pas vraiment me tuer.
            La troisième fois qu'il m'a poussé,
je me suis vautré côté droit.   Côté toit.
        J'ai glissé, l'ardoise a crissé sous mes ongles,
            brusque souvenir de ma maîtresse de CE1,
c'est marrant ce à quoi on pense dans ces situations.
        Il était debout au bord du toit, moi sur le dos,
            c'était pas drôle,
                et ça m'a agacé ces conneries tout à coup,
                j'ai voulu reprendre le contrôle,
je me suis relevé et j'ai tapé du pied.
                                        « Lensky ! »
Un seul mot. « Lensky ! »   Un seul mot.
Et en tapant du pied j'ai pété une tuile avec ma chaussure
bateau.

PANG.   Je me souviens du bruit,
                comme un tir de pistolet.   PANG.

Et comme si c'était lui qui avait été visé, et comme si j'avais
vraiment eu un flingue, Lensky a eu un soubresaut et puis
il est tombé.
                            Du mauvais côté.

MOI   Il est tombé parce que t'as fêlé une tuile ?
EUGÈNE   Je te raconte ce qui s'est passé. L'ardoise a
            éclaté, PANG, il est tombé.
            C'était pas juste une fissure, c'était un bon
            trou dans la toiture, il a dû pleuvoir longtemps
            dans leur grenier après.

MOI	Et ensuite ?
EUGÈNE	Quoi, ensuite ? Tu vas pas me foutre la paix ?

Ensuite je l'ai vu disparaître derrière le rebord.

Ensuite j'ai appelé les pompiers.

Ensuite l'ambulance est arrivée et quelqu'un m'a dit qu'il était mort.

On est partis à l'hôpital, ensuite, ensuite,

ensuite eh ben les parents, la police, j'ai dit que je l'avais vu tomber,

mais pas le reste, ça va pas, je suis pas con,

« C'est lui qui m'a poussé madame ! Je vous jure ! Ensuite il s'est fait peur tout seul ! »

Comme explication ça aurait eu de la gueule.

Donc j'ai menti, ça y est, tu sais tout. T'es contente ?

J'ai menti. J'aurais dû leur dire

que Lensky était mort

parce qu'il a raté son duel, j'aurais dû leur dire ça, à toute la parentèle :

votre fils est mort parce qu'il a bondi comme un lapin,

parce qu'en fait il avait sans doute peur de moi,

parce que j'étais trop lourd pour votre toit.

Ça aurait fait bien.

MOI	Et tu vas lui raconter tout ça, à Tatiana ?
EUGÈNE	Puisqu'elle me le demande, pourquoi pas ?
MOI	Qu'est-ce que tu es froid.
EUGÈNE	Pardon ?
MOI	Je sais pas, tu me racontes tout ça, la bouche en cœur, tu arrives à t'en souvenir sans pleurs –
EUGÈNE	Non !

Mais non !   Putain, non,   j'y arrive pas !

Et tu me soûles avec tes questions !

Et il sanglote, un vrai petit garçon. Je ne comprends pas.

MOI   Mais toutes ces années…

Toutes ces années, quand tu y as repensé…

EUGÈNE   Mais j'y ai *pas* repensé !

J'y ai pas repensé jusqu'à ce que tu me fasses chier avec cette histoire,

jusqu'à ce que ça me revienne deux cents ans plus tard.

C'était ça ou la folie tu vois,

il faut faire des choix dans la vie,

moi j'ai choisi d'oblitérer Lensky,

d'oublier Olga et Tatiana et lui, et cet été-là.

Au fil du temps tout ce qui s'était passé
a fini par me sembler

irréel, comme un discours rapporté.

Ça ne me ressemblait pas,

trop d'amour, trop de haine, trop d'amitié,

trop d'excès pour quelqu'un comme moi,

j'ai fini par me convaincre que cette histoire

n'avait été qu'un roman

que j'aurais lu quand j'étais adolescent,

et auquel je me serais   disons

particulièrement identifié…

Il a les yeux baissés. Je vais le laisser tranquille,

il a toute cette histoire à raconter à Tatiana,

peut-être différemment de la manière dont il vient de le faire :

on est toujours meilleur

quand on raconte pour la deuxième fois.

Imaginez donc cette histoire encore mieux racontée.

Imaginez la réaction de Tatiana.

Elle sera forcément troublée.

160

est-il/ n'est-il pas un criminel

> *le limoncello lui ankylose-t-il la jugeote pour en décider*

est-ce le bon contexte pour aller chez lui
Non.

> > Il aura les larmes aux yeux et elle aussi.

Il sera effondré.

> Il ne pensait pas que ce serait si dur à raconter.

> > > « Je comprends. »

Elle sera effarée.

> Il lui faudra du temps pour y penser.

> > > « Je comprends. »

Ils se comprendront. Ce n'est pas rien.

> Mais ils se sépareront donc pour l'instant.
> Il n'y aura pas de grande orgie ce soir

> > (désolée de vous décevoir).

> Ne soyez pas fâchés.

Au prochain chapitre,

> nous les retrouverons quelques jours plus tard,
> et la situation aura encore un peu changé.

5

Paris refroidissait encore et encore pire.

    Le matin, les gouttières étaient poilues de givre ;
puis la nuit très noire basculait sur le côté, révélant un ciel
platine, glacial, lisse,

    qui aplatissait les surfaces, durcissait les façades
des édifices. Vers midi,

    Il neigeait. Le ciel blanc soudain se dessillait,
laissait s'échapper des flocons gros comme des copeaux de
lessive.

Paris alors paraissait pelucheux, un peu plus chaleureux :

    vers cinq heures du soir, on pouvait enfin sortir.

Tatiana sortit beaucoup ces soirs-là : au lieu de rentrer chez
elle après la bibliothèque,

elle vit des tas d'amis, un peu partout,

    envoyant au pif des SMS

                      « Hé Cam t'es libre pour dîner ? »

    « Hello Martin, ça te dit de prendre un verre ? »
et si oui, Uber jusqu'à Camille,

    ou métro direction Martin,
ils appelaient aussi Paul et Marco et Gabrielle et Zacharie
et Farah,

        et ils se tassaient autour de toutes petites tables,
jouaient à Tetris avec les assiettes de tapas,

se racontaient leurs vies, les jobs des uns,

les études des autres,

le chômage de certains, ceux qui pensaient à déménager

parce que c'était trop l'angoisse dans la capitale,

la grande vague de séparations dans leurs couples de potes,

hécatombe de la mi-vingtaine,

même Stéphane et Laurine qui étaient ensemble depuis la terminale

et tout cela distrayait Tatiana

entre deux textos à Eugène.

Car

ces derniers jours ils s'écrivaient tout le temps,

et c'était incroyable le nombre de choses

qui leur faisaient penser à l'autre :

toute rue était granuleuse d'évocations,

toute émission de télé

exactement ce dont on parlait l'autre soir,

toute image exigeait d'être partagée.

Tiens j'ai écouté la chanson de Fauve

dont tu me parlais j'ai adoré

le plat du jour au resto à côté de chez moi c'est une calzone,

tu crois qu'ils essaient de t'appâter ?

j'ai vu une fille avec la même écharpe que toi,

j'espère que tu te l'es pas fait voler

C'était insensé, tout semblait tapissé d'indices,

d'incalculables petites coïncidences ;

ils lisaient l'univers comme un heureux concours de

circonstances.

sur France Info ils parlent d'un nouveau film

sur la vie de Monet

tu sais l'autre jour la pièce de 2 euros

qui avait l'air fausse,

le distributeur vient de me la refuser.

regarde ce sur quoi je viens de tomber à la bibli
[photo d'un exemplaire de *La princesse de Clèves*]

Breaking news ! Un *livre* dans une *bibliothèque* !
Permettez-moi d'être cynique,
ils le seraient aussi, je pense, avec un peu de distance,
mais à ce moment-là ils étaient extatiques,   et exténués
de se cogner toutes les deux minutes, au cas où ils se seraient
momentanément oubliés,
à des rappels de l'existence de l'autre.
Aucun des deux n'osait, pour l'instant,
suggérer de se revoir ;
de toute façon Tatiana partait à San Francisco en milieu de
semaine,
pour un colloque, et Eugène,
disait-il, était très occupé au boulot
(ce qui ne l'empêchait pas d'envoyer des paquets de textos),
donc ce n'était pas le moment,
mais pour compenser,
Tatiana se faisait plus sociable que jamais,
d'où toutes ces sorties,
elle était plus câline, plus tactile, elle s'agrippait à ses amies,
faisait plein de bises,   *chez moi c'est trois*
tentait de remplacer Eugène par des dizaines
de personnes.
Pourtant même au restau, elle restait cramponnée à son
téléphone
et regardait discrètement entre deux makis ce qu'il
venait de lui envoyer. Puis :
Ça suffit maintenant.
Je ne répondrai pas avant le dessert.
Ou au moins les brochettes.

Chacun de son côté s'imposait des petits défis,
Plus de texto avant demain
sinon ça fait la fille accro.   *Je vais lui faire une réponse*
cool et dégagée

      ils instauraient un système punitif
      sophistiqué,
S'il me répond pas dans les dix minutes,
j'attends une heure avant de lui répondre
      Son message était carrément court,
      elle n'aura rien de moi ce soir.

Ah j'ai pas droit à un texto ce matin ?
Bon. Très bien.
Il peut toujours courir pour que je lui en envoie un.
      Mais bientôt l'un ou l'autre cédait ;
et alors un téléphone vibrait,
      grelottait au creux d'une poche,
      comme une quinte de toux de petit animal,
      et tous les reproches se disséminaient au vent :
      il y avait un nouveau message,
sa lumière leur éclatait au visage,
et miracle, il était plus long que celui d'avant,
      ou plus enthousiaste ou moins sage,
      ou tout trituré d'ambiguïtés
difficile de bosser aujourd'hui, j'ai la tête à autre chose…
      ou faisant fondre tous les fusibles à la fois
      de leur fabrique à fantasmes,
      moi pareil j'ai juste erré sur amazon
      j'ai acheté une nuisette rose
      ou bien ourlé de discrètes tendresses –
un *cher* une *chère*, vieillottes politesses
douces comme d'épaisses pâtisseries,
et épisodiquement, ultime délice, l'un d'eux osait

un   *Je t'embrasse*   qui serait passé inaperçu,
                                de la part d'un ami normal,
mais dont ici la soudaine déflagration,
à la fin d'un texto banal,
        laissait l'autre pantois,   se hâtant de renchérir,
        les doigts moites tamponnant de petits labyrinthes
sur l'écran,   *moi aussi je t'embrasse*
Ensuite ni l'un ni l'autre ne pouvait dormir,
        s'imaginant le sensationnel patin caché derrière ce
                                je t'embrasse,
        et toutes ces caresses qu'il préfaçait.

        Quand ils avaient un moment de lucidité
entre la douceur cinglante de deux textos, ils se disaient
                j'ai l'impression d'avoir quinze ans,
                c'est quoi cette affaire
        Ils se sentaient comme habités par un adolescent
capricieux et passionné, qui les réveillait tard et les empêchait
de se coucher tôt,
mettait en scène leurs rêves et rédigeait leurs textos,
leur faisait relire une quantité invraisemblable de poètes.
        Eux qui s'étaient crus adultes, mûrs et mesurés,
ils avaient un squatteur de quinze ans dans la tête ;
                                pire encore,
ils avaient son ruissellement d'hormones dans le corps.
                        Plus habitué, Eugène gérait sa libido
                        sans trop de trouble,
mais Tatiana, rarement cueillie par de telles envies,
        ne s'était jamais sentie si brûlante et si lourde,
humide sans cesse partout où sa peau plissait, glissante
de la racine des cheveux aux aisselles
et aux creux poplités, et à l'aine,

et il lui semblait que tout en elle, sa bouche, son cœur,
la paume de ses mains,
le bout de ses seins,   était relié à son vagin par
                        une cordelette
tendue comme un arc,
                    que la moindre pensée d'Eugène
pinçait – et alors, comme s'anime un réseau de clochettes,
        son être résonnait de tintements argentins.
        Pulsant, démangé, lascif, gluant,
son corps lui échappait, se jetait en avant – ses mamelons
frottaient inconfortablement
        contre son soutien-gorge qu'elle remplissait trop,
                tout débordait,
        il lui semblait que son ventre avait engraissé,
        ses cuisses épaissi,
        et toute cette fougasse lui donnait faim :
        elle se voulait elle-même,
et voulait se partager avec Eugène,
        mourait d'envie qu'il la mange de bas en haut,
        et elle sentait s'écarter délicatement
        les ourlets de sa peau
                    comme pour l'accueillir à la fin.
        Ce n'était pas idéal quand ce genre de pensées
        la prenaient à la bibliothèque, ou dans la rue, ou
        dans le métro ; mais pas le choix ; même cravachée
        par les lanières du vent, si elle pensait à lui,
        tout enflait, dans une touffeur tropicale.

                            Ainsi eut-elle un peu de mal
                à se concentrer sur sa thèse cette semaine-là.

Puis arriva le moment où elle dut forcer
                            ce corps d'adolescente

168

à faire ses valises et à se concentrer un peu,
merci bien,
car elle allait ce soir dîner chez Olga
et demain
partait pour San Francisco tôt le matin.
Tatiana n'avait jamais eu peur de l'avion, mais elle se
demanda tout à coup,
electrisée par un puissant instinct de mort,
si elle devait écrire à Eugène un texto d'adieu juste au cas où.

Je prends l'avion demain, juste pour que tu saches,
si on s'écrase ou s'il y a un attentat,
ça m'embêterait de ne jamais t'avoir dit
que ça fait des jours que je pense à toi
et que je suis heureuse que tu sois revenu dans ma vie.

Comme il lui restait quand même un résidu de raison,
oh, pas grand-chose,
juste une petite traînée dans un coin pas balayée par sa
squatteuse intérieure,
elle se retint, et à la place, lui dit,

Ça va me manquer de ne pas t'écrire pendant quelques jours.
Je t'enverrai des emails.
Je te raconterai tout ça quand je reviendrai.

Bon voyage répondit Eugène
J'espère que les films dans l'avion seront bien.
Je t'embrasse.
Moi aussi je t'embrasse.

Olga ce soir-là avait mis les petits plats dans les grands ;
   quand Tatiana arriva,
    elle avait déjà administré à ses gamines
   leurs petits pots et leurs petits flans,
   elles avaient fait pipi
   et s'étaient brossé les dents gentiment
   avec le dentifrice bleu à paillettes Reine des Neiges,
il ne leur restait donc plus qu'à faire un bisou à Maman, à
Papa, à Tatie Tatiana, à toutes les peluches,
     et tandis qu'Olaf, un fil tiré de ses fesses,
    leur couinait *Libérée, Délivrée*
       pour les endormir,
   Olga sortit du four une grande quiche lorraine,
   ouvrit le frigo dont la porte croulait sous les dessins,
   les bons Picard le formulaire à remplir pour la piscine
le petit mot de la dame des poux,
    empila sur une assiette
un chaussée aux moines, un Saint-Agur,
un demi-camembert chagrin,
ressuscita une salade fanée avec une énergique vinaigrette,
   ouvrit une bouteille de Merlot, abattit une baguette
   sur la table en plexi,   *Le dîner est servi !*
et son mari, qui était gentil comme un soufflé au fromage,
les rejoignit,
   le pavillon de l'oreille gauche savamment orienté
vers le Grand Journal.
Olga était otorhinolaryngologiste. Elle s'enquit des yeux
scintillants de sa sœur,
de ses joues comme allumées de l'intérieur,

« Tu es malade ? »

                              « Non, non, pas du tout. »
« Tu ressembles à un ver luisant ! T'as de la fièvre ? »
                              « Ça va bien, je te promets. »
Une paume sur le front authentifia la promesse.
« Ça doit être le stress, alors, ou l'excitation.
San Francisco ! Tu as hâte, j'imagine ? »
                              « Carrément. »
          « Tout va se jouer là-bas, c'est ça ? »
                              « Yes. »
          « Eh bien, ça a l'air de te remplir de joie…
tu dis pas un mot ?
          tiens, prends de la salade,
                    qu'est-ce qui t'arrive ? tu manges à peine ! »

Tatiana chavira, sachant chimérique de cacher à sa sœur
qu'elle cherchait sans succès à chasser d'inséchables chaleurs
de son corps cahoté par six cents sursauts chaque heure.
Elle chuchota,
          « J'ai retrouvé quelqu'un, » mais avec le *re* de retrouvé
si petit, si recroquevillé,
          qu'il se perdit parmi les grains de moutarde de
la vinaigrette.
« T'as trouvé quelqu'un ? s'étrangla Olga. C'est pas le bon
timing ! »
« Pas besoin de me le dire. »

                              « Tu vas faire quoi ? »
« Je sais pas. »

                              « Il fait quoi, lui ? »
« Il est consultant. »

                              « Tu le sors d'où ? »

171

Cette conversation en espaliers
     menait dangereusement à tout un grenier d'archives,
       grignotées de champignons, poussiéreuses,
         et au-dessus d'elles, à un toit   trop

                        glissant.
                            Prudente,
et pas menteuse,
Tatiana prétexta des amis en commun.
        « Mais il sait que tu pars à San Francisco ? »
« Hmm. »
        « Il en dit quoi ? »   « Rien. »   « Rien ? »
« Il s'est encore rien passé, tu vois. »
                 « Rien ? »   « Rien. »
« Vous avez pas couché ensemble ni rien ? »
                 « Ni   rien. »
« Mais alors comment tu sais » « – Olga
                 Olga steuplé
                 ne te fais pas plus
                 obtuse que tu l'es.
                 Je le sais. Ça se sait,
                 ces choses-là. »
Olga hocha la tête, regarda son mari
qui fourrait dans sa bouche comme on bourre sa poche
un bateau de pain avec une tranche de camembert dessus.
        L'affection dans le regard d'Olga partait
        par vagues, comme une marée,
        pour baigner cet homme,
        qui écoutait Antoine de Caunes,
        d'un délicat onguent d'algue et d'écume.
« Dans ce cas-là, dit Olga émue,
               tu sais ce qu'il te reste à faire. »

« Ah bon ? quoi ? »   « Oh, Tania…
si c'est vraiment une passion, si tu sens que tu en as vraiment
envie, enfin, si c'est le genre de choses qui n'arrive qu'une
seule fois dans la vie, il faut tout faire !
Il faut tout sacrifier pour.
Il ne faut pas prendre ça à la légère, une histoire d'amour.
Tu peux pas rater ça. Tu regretterais. »

       Et tout en parlant, Olga contemplait
       cet homme par ailleurs fort sympathique,
       qui s'appelait Anthony,
       qui n'était pas laid et qui était plutôt bon père,
enfin, tolérable,
       qui travaillait au Crédit Mutuel,
       et qui, se sentant observé,
       décousit son regard de la télé,
point
       par
              point,
    comme on fait sauter un ourlet,
            ploc,
     ploc,
ploc,
       et dessina un sourire agréable
       à l'égard des deux sœurs qui l'observaient.
« Tu en penses quoi, toi ? » lui demanda Olga.
                 « De ? » répondit Anthony.
« Tatiana est amoureuse. »
       « Oh là ! Les ennuis commencent, » plaisanta-t-il.
« Et donc je lui dis que l'amour ça vaut des sacrifices. »
              « Mais bien sûr ».
« Sinon elle le regrettera toute sa vie. »
           « Oh là ! Oui, ça c'est certain. »

« Alors que toi, quand tu as décidé de ne pas prendre ce poste en Chine… »

« Je n'ai jamais regretté, affirma Anthony, de ne pas avoir pris ce poste en Chine.

Qu'est-ce que j'aurais foutu en Chine ?

Y a que des Chinois là-bas,

alors qu'ici j'ai mes trois chéries. »

Il regarda Olga, et leurs quatre yeux produisirent un regard épais et élastique comme une liane de guimauve

mauve,

tandis que sur les murs, les innombrables photos des jumelles et d'eux-mêmes

semblèrent suinter aussi une mélasse saccharine,

et sous l'effet de ce moment *Dame Tartine*,

d'interminables carambars poussèrent

comme des roseaux dans le salon désordonné,

et des souris de sucre naquirent sous des nuages de barbe à papa,

et tous les petits mots d'amour

prononcés dans cette pièce résonnèrent

en une averse de Smarties ;

et c'était une telle insulte que d'entendre ces roucoulements de chocolat,

ce mot de « chérie » roulant dans la bouche d'Anthony telle une fraise tagada

alors que si jamais un jour Eugène me le disait

putain

Tatiana voulut dire *non mais c'est pas ce que je veux dire*

non non

c'est pas du même amour qu'on parle

je veux dire

imaginez un amour ancien et intolérable

174

sérieux comme une antiquité
retrouvée dans un coffre,
baroque, un truc hallucinant,
pas un amour de pacotille comme le vôtre
tu rigoles
elle ne voulait pas être insultante,
mais très clairement il y avait erreur de catégorie,
pas un amour en papier crépon de fête de l'école
je veux dire le genre d'amour qu'il y a dans les livres
et ça s'empire quand sa sœur s'enflamme,
« Il faut le vivre,
Il faut vivre ça, Tatiana. C'est important.

Et le vivre à fond,
tu verras,   jusqu'au bout,   même passé les premiers mois,
ce qui est merveilleux quand on aime vraiment quelqu'un
c'est que

même
quand la première passion s'efface,
même
quand on n'est plus en lune de miel,
même
à ce moment-là,   on devient *amis,*
on fonde quelque chose de durable et de tendre,
une confiance,
ce n'est pas quelque chose que ton travail peut t'apporter, ça,
cette présence.
Cette solidité. C'est vous deux qui la fabriquez.
À partir de là, ce n'est plus seulement toi au monde,
c'est aussi l'autre personne,
et les enfants que vous… »
Les enfants ! s'épouvanta Tatiana.
Non vraiment Olga ne comprend pas.

175

« Ce n'est pas ce genre de relation, dit-elle,
je ne crois pas
            qu'on parte sur cette idée-là. »
Olga et Anthony plissèrent des yeux complices.
« Pas tout de suite, pas tout de suite,
d'abord les mois de passion avant que ça s'accomplisse. »
Et tout à coup Tatiana se souvint du jour, il y a
            combien de temps déjà,
                        sept ans ?
                                    huit ?
où Olga avait ramené Anthony à la maison,
            (avec plus de cheveux sur la tête qu'aujourd'hui)
ils étaient en effet, enfin   disons que superficiellement
– si on ne savait pas,   comme Tatiana le savait,
à quel point on peut aimer et se languir –,
            on aurait pu croire qu'ils s'aimaient
            et se languissaient
            presque pareil   ;
            disons que la différence n'était pas frappante ;
            cet amour-là avait ressemblé
            un peu, au moins, à celui qu'éprouvait Tatiana ;
            disons qu'on aurait pu s'y méprendre.
Maintenant elle voyait bien que ça n'avait été qu'une illusion
totale, un truc à vendre
            dans un magasin de farces et attrapes
            rayon Saint-Valentin ;
                        le sacrifice d'Anthony
                        une gigantesque erreur,
                        la maternité d'Olga
                        une formidable impasse,
                        condamnant chaque soir,
                        cauchemar sisyphéen,
l'un à se visser à son téléviseur,

176

l'autre à ne pas oublier de mettre des Pépitos Pockitos dans
les sacs de classe
                    de leurs deux (par ailleurs adorables) fillettes,
mais le plus drôle, c'était
                    qu'à l'époque, donc, on n'aurait pas cru
                    que cet amour était en placo-plâtre,
il sonnait vrai,   et plus drôle encore,   même maintenant,
même   dans le désastre absolu
                    de ce chaussée aux moines mâchouillé sur fond
sonore de miss météo,
                    de ce salon éclairé brutalement
                    par un plafonnier blême,
même

    dans cet état de famine existentielle, il lui semblait
qu'ils avaient l'air… heureux   *marrant ça*
il semblait à Tatiana qu'ils ne   *remarquaient pas*
que leurs vies se résumaient à ouvrir des boîtes de petits pois
et à ramasser des briques de Lego sur la moquette parce que
ça fait putain de mal aux pieds
                    dis pas de gros mots devant les enfants enfin chéri
                    zut pardon chérie
                    ooooohhhh
                    papa il a dit un gros mot
                    Tatiana se rattrapa à son verre de Merlot
                    pour ne pas tomber en arrière,
sa chaise Stark devenue siège à bascule,
le carrelage blanc patinoire surglissante ;   *non,*
c'est impossible qu'on passe ainsi du sublime au ridicule,
de l'amour absolu au patafixage de photos d'enfants,
                    c'est impossible n'est-ce pas
après tant d'amour et tant d'intensité
                    de s'ennuyer ainsi ensemble
                           de s'ennuyer ensemble

Cette phrase résonna en elle comme un refrain sinistre
entendu autrefois.

Elle lui glaça le sang dans les veines.

« *on s'ennuierait ensemble* »   *non*

           c'est impossible
                              Elle sentit couler en elle
                              un spleen bilieux, à la limite
                              entre la tristesse et la haine,
se ressouvenant de l'origine de cette phrase,
                                        voulant lutter,
c'est impossible
                                        il avait tort,
pas ça,   *pas nous,*   *ce n'est pas possible,*
                      mais si, c'est même probable,
           reprit le refrain triste,
                      tu as été prévenue, depuis le début ;
c'est même inévitable.
           On s'ennuierait ensemble, c'est indubitable ;
tu le sais.   *Il te l'a déjà dit.*
           – Mais les choses ont changé ! On y arrivera !
Non, Tatiana.
           Tout est écrit déjà ;   *on s'ennuiera.*

Et pendant que la taraudaient ces souvenirs supplices,
                      « Ça vaut tous les sacrifices,
                      continuait Olga,
et toi tu travailles trop,
                      tu as toujours trop travaillé ;

178

je sais bien que tu y trouves des satisfactions mais enfin,
                    attention aux dérives,
                    il faut aussi penser à toi parfois.
                    Tatiana,
                    toi aussi ta vie attend que tu la vives.
Alors pense un peu à toi.

                            Bon, qui finit les endives ? »

Il ne fallait pas rentrer trop tard.
L'avion décollait tôt le lendemain.
            « En tout cas, dit Olga, tiens-moi bien au courant.
J'espère,   minauda-t-elle,   que tu nous présenteras
bientôt ton galant. »
                En désespoir de cause, pour ne pas repartir sans avoir
                tout essayé,
                Tatiana profita de ce qu'Anthony était aux toilettes
                pour tenter un appel masqué
                vers ce qu'il restait peut-être de l'adolescente qu'Olga
                avait été :
                « Tu ne penses pas parfois que ta vie aurait été
                meilleure avec Lensky ? »
« *Len-sky* ? » répéta Olga, comme si ces deux syllabes n'étaient
jamais sorties de sa bouche,
« D'où ça sort, cette question ? »   Ça la fit rire.
                        Ça la fit   rire.
« Je me dis   juste   qu'à l'époque
on ressentait les choses plus puissamment, si ça se trouve,
        tu avais des sentiments plus vrais, plus grands – »

179

« C'est drôle que tu me dises ça, dit Olga,
parce que justement
            (elle se leva) j'ai retrouvé l'autre jour
mon agenda de seconde –
        (elle alla ouvrir un tiroir) regarde, je me marre,
                regarde un peu les mots
            que mes copines m'avaient laissés. »
Tatiana regarda. Page après page, jour après jour,
        entre *Contrôle de maths faichiéééé*
et
géo carte 3 p. 68 Français trouver définition "prosopopée"
        des messages passionnés, écrits à l'encre dorée,
ou glitter, ou ces encres parfumées
        qui avaient depuis perdu leur parfum,

Olga ma chérie jtm trop trop trop
        meilleures amies pour la vie

            « Tu te rappelles, dit Olga, c'était Philippine,
                je sais pas du tout ce qu'elle est devenue »,
et des cœurs écaillant la page, façonnés à la poinçonneuse,
ouvrage de longue haleine, gommettes,
dessins vaguement manga,

Best friends forever
        Béatrice + Olga = Amour Toujours

(Olga : « Je n'ai aucun souvenir de qui était Béatrice »)

La +++ belle du club des Fatal Zorinas

« Ce nom de club ne m'évoque absolument rien. »
Olga tout le long riait. « C'est fou quand même, on devait
être convaincues,

il devait y avoir un peu de nous qui y croyait,
qu'on avait, à seize ans, déjà trouvé
nos best friends forever et nos amours immortelles.
Et on devait vraiment y croire, qu'on était belles ! »

Mais tout à coup elle redevint sérieuse.
« Lensky… Lensky,
cette histoire-là est bien plus malheureuse,
Lensky, sa tragédie, le pauvre, sa grande erreur,
c'était son aveuglement, presque   sa folie,
en tout cas sa croyance, son immense confiance,
en ces sentiments qu'on écrit au stylo quatre couleurs
entre deux exercices de biologie.
Hélas, pauvre Lensky. »
Olga referma l'agenda,
relissa de l'ongle un autocollant *Linkin Park*
qui se détachait,
et à Tatiana, dans un murmure :
« Je repense parfois à son décès, tu sais,
tu te souviens combien ça m'avait dévastée,
mais pas parce que je l'aimais,   non,
parce que justement je ne l'avais *jamais* aimé,
pas vraiment, pas comme on peut aimer,
je faisais de mon mieux, mais je n'avais pas les capacités,
et lui non plus, malgré ses promesses et ses prières,
on était jeunes, on ne savait pas encore faire,
et il s'est tué bêtement, pour un amour de jeunesse,
c'est ça qui – aujourd'hui encore – quand j'y repense,
me blesse,
quel dommage, quel gâchis, quel destin :
il s'est tué pour un amour qui ne valait rien. »

181

Comme ce souvenir l'avait remuée,
Olga gomma du coin de sa manche
deux larmes qui faisaient la course
le long de ses joues,
et, les ailes du nez très blanches,
les yeux rougis, elle embrassa sa sœur,
sa petite sœur chancelante,
fouettée comme par un fort blizzard de mots gris
ennui   gâchis   jeunesse
rien   promesses   ennui   destin   bêtement
ennui   sacrifice   enfants
Olga continuait à la serrer dans ses bras,
réconfortante, tiède, la peau douce, la poitrine grosse,
et Tatiana engloutie dans la robe-tuyau-pull en mérinos
respira par larges gorgées,
comme on s'abreuve à une rivière,
l'odeur ancienne et blette du parfum de leur mère.

Eugène n'avait pas cru, pas une seconde, que Tatiana
ne lui écrirait pas durant son séjour.
Il se disait *elle m'écrira dix fois par jour,*
tant pis pour le prix du SMS,
elle m'enverra des emails en squattant le wifi de la fac,
de l'hôtel, d'un Starbucks,
il était convaincu qu'elle n'arriverait pas à s'en empêcher,
et attendit avec impatience
qu'elle commence.
Pourtant,
le soir de son arrivée,
Tatiana ne lui écrivit pas. Eugène vérifia sur le site de Delta
Airlines que l'avion s'était bien posé,

oui, à l'heure, sans dérapage horrible ;
pourtant, peut-être – sans doute –
à cause du décalage horaire,

pas de texto.

Le matin suivant,

pas de texto.

L'après-midi, Eugène en osa un :
Hello l'Américaine, bien arrivée ?

No reply.

Quelques heures plus tard il en envoya un second :
J'espère que ça se passe bien.

Silence radio.

Le lendemain, il lui composa un petit email.
Salut Tatiana, je me dis que tu n'as peut-être pas de réseau.
Donne-moi de tes nouvelles si tu as deux minutes.
Apparemment elle n'avait pas deux minutes.

Le surlendemain, il lui envoya un MMS :
photo de la Seine gelée.
Tu rates une occasion de patiner.
Toujours rien. Il laissa passer un jour,
et puis décida qu'il était temps
de s'inquiéter.

Ce silence
allait à l'encontre de toutes les évidences ;
ils n'étaient qu'une question de temps, eux deux ;
on n'envoyait pas, en six jours,
cent messages si taraudés d'amour

183

   pour ne pas substituer ensuite les mains aux mots,
   les langues aux virgules.
    Si elle ne lui répondait pas,
     c'était qu'elle devait être dans le coma !
Nerveux, il écrivit à Leprince.

Cher Monsieur,
Je suis désolé de vous déranger. J'aurais voulu savoir si vous
avez des nouvelles de Tatiana.
Je sais qu'elle est à San Francisco en ce moment,
mais elle ne répond pas à mes messages, et je voudrais
m'assurer qu'elle va bien.
Cordialement,   etc.

La réponse arriva l'après-midi suivant.

    Vous êtes bien gentil de vous en inquiéter.
    Tatiana va très bien ; elle est à mes côtés.
    Nous avons traversé le Golden Gate hier,
    Et vécu ce matin un tremblement de terre.
    Comme elle vous l'a dit, sans doute, elle est ravie
    De découvrir ce lieu où se fera sa vie.

Eugène relut l'email dix fois, concentré comme un lycéen,
commentaire composé, bac français fin juin :
  À ses côtés   Leprince est à San Francisco ?
      Je comprends pas,
elle m'avait pas dit qu'il serait là, elle avait dit
    c'est un petit colloque sur Caillebotte
elle n'avait pas mentionné la présence du prof.

184

Et si elle est dispo, pourquoi ne pas répondre
à mes textos ?

traversé le Golden Gate, vécu un tremblement de terre
elle a le temps de faire du tourisme,

de vivre un séisme,
mais pas de m'écrire un SMS ?

ou alors c'est quoi, un euphémisme
pour dire

on baise du matin au soir ?
plus mystérieuse encore, la dernière phrase, c'était quoi
cette histoire,
où se fera sa vie   quelle vie ?   comment ça,
se fera ?

Hello Tatiana
Je ne savais pas que Leprince était avec toi.
Je comprends pas, il dit que
ta vie se fera là-bas, un truc comme ça,
je sais pas ce que ça veut dire ? Réponds-moi
si t'as le temps.
Tu rentres quand déjà ?

Hey juste un petit texto pour te demander
si t'as vu mon email ?

Cher Monsieur,
Merci pour votre réponse.
Je cherche à contacter Tatiana à propos de quelque chose.
Pourriez-vous lui dire de m'écrire ?
Cordialement.

Cher ami, Tatiana est un peu occupée ;
Nous avons tous les deux une dense semaine.
Nous rencontrons ce soir le recteur du musée ;
Il sera son mentor les deux années prochaines.

Salut Tatiana
Je comprends pas pourquoi ton prof me dit que t'auras un
mentor à San Francisco les deux années prochaines ?

Hello. Tu devais pas rentrer ce soir ?

Cher Monsieur,
Il me semblait que Tatiana était censée rentrer
hier soir à Paris.
Je n'ai pas de ses nouvelles et je me demandais
si vous étiez bien arrivés ?
Cordialement.

Nous sommes arrivés hier matin, sept heures.
Tatiana ne vous a pas encor contacté ?
Tout s'est très bien passé ; un excellent colloque,
Et tout est décidé concernant son post-doc :
Elle repartira au début de l'été.
Cette confirmation la comble de bonheur.

Tatiana

Je comprends pas

        tout à fait

                un truc

                        je comprends pas

de quoi il parle

        ton prof ?

                c'est quoi

                        cette histoire

Je comprends pas

        cette histoire

                ?

                        Tu pars ?

Cher Eugène,

Pardonne-moi. Je suis désolée pour mon silence.
Ma visite à San Francisco a été courte et intense
                    et importante
                    et il fallait que je pense   à bien des choses,
                    sans ton influence.
        J'espère que tu comprends.
Oui, je pars. C'était prévu depuis longtemps.
        Un poste pour deux ans,
au musée d'art moderne, une de ces propositions
        auxquelles on ne peut pas dire non, tu vois,
        une de ces occasions qui arrivent une seule fois
        dans une vie.
J'ai sans doute eu tort de ne pas t'en parler.
Je n'ai pas fait exprès, tu sais, de le cacher,
                    mais quand je t'ai revu l'autre jour,
                    ça ne s'est pas présenté
                    et depuis,
ce petit sujet-là s'est fait un peu discret,
une trappe secrète quelque part dans mon esprit
me l'a escamoté, comme si je voulais oublier son existence.
        Mais depuis quelques jours, avec cette distance,
avec tous ces emails de toi, ton insistance,
                                j'ai compris que
j'avais cherché à retarder le moment de te dire
                    que j'ai un avenir
qui n'a plus beaucoup de terrain à construire,
plus beaucoup de concessions à céder,
et que cet avenir j'en suis fière,   je suis fière

d'avoir tant travaillé à son architecture,

　　　　　　　et je sais qu'il doit te sembler terriblement
ennuyeux,

ce n'est pas une grande aventure,

　　　　　　c'est un avenir qui sent la térébenthine et
　　　　　　les vieux livres, je vais vivre

　　　　　　dans une gangue de gouache,

　　　　　　dans une piscine de poussière,

　　　et pour l'instant je ne vois rien de plus heureux.

J'espère vraiment que tu comprends.

J'espère qu'on gardera contact.

J'espère que quand je reviendrai de temps en temps, on ira
remanger un sandwich rue de Seine,

　　　　　　　　　j'espère qu'on s'écrira,

À bientôt, donc, Eugène,

　　　　　　　　　　　Amitiés,

　　　　　　　　　　　　　　Tatiana.

Elle couche avec Leprince,
fut la conclusion immédiate d'Eugène.

　　　　　　　　Elle couche avec Leprince.

　　Elle et sa ridicule excuse américaine.

Comme par hasard elle part avec lui à San Francisco, et
elle découvre qu'elle n'a plus envie de répondre à mes
textos ?

　　　　　　　　　Post-doc mon cul.

Elle couche avec Leprince c'est tout.

Pas la peine de faire genre j'ai un avenir
genre j'ai des trucs à faire

tu couches avec Leprince salope

Il se rongea l'intérieur de la joue d'avoir pensé salope.
C'est son choix OK ?   *T'es vraiment un connard.*
Les femmes ont le droit de coucher avec qui elles veulent mais

      pourquoi

ce que je ne comprends pas c'est
pourquoi tu m'as pas juste dit : je couche avec Leprince ?
pourquoi tu m'as inventé un autre truc c'était quoi exactement
ton but ?

      sale –
      non rien

tain   *qu'est-ce que je suis con*
      qu'est-ce que ça me tord cette histoire
tain   *comment j'ai pu me laisser avoir*

      moi qui suis si rationnel
si indépendant moi   *qui suis si*

      seul

La douleur le mordit à la gorge comme un chien,
      et ne lâcha pas prise et ne desserra pas sa gueule même
      pour le laisser   respirer   ou manger ou boire,
      haletant il s'assit, dévoré de colère,

      ne bougea plus,
et les jours suivants, les motivations qu'il imputait à Tatiana
varièrent.

Elle couche avec Leprince parce qu'elle a pas digéré d'être
abandonnée par son père.
Elle couche avec Leprince parce qu'elle espère qu'il l'aidera
à monter dans la hiérarchie.

Elle couche avec Leprince parce qu'elle pense qu'il va la demander en mariage.

Elle couche avec Leprince parce qu'elle veut des enfants de lui. *Mais d'ailleurs*
si ça se trouve en fait *elle est déjà enceinte*
avec son badge là finalement
comment être sûr qu'elle ne m'a pas menti ?

Enfin il dépassa ce furibond argumentaire.

Peut-être juste qu'elle couchait avec Leprince
parce qu'elle l'aimait.

Pour
quoi
pas.

Après tout c'était son droit après tout
pourquoi
pas. Admettons.

Il a le droit si elle est d'accord de la toucher ce n'est pas parce que toi tu n'aimerais pas que Leprince t'embrasse dans le cou que c'est le cas de tout le monde.

Admettons.

Même si l'idée des doigts-cigares de Leprince
sur le ventre de Tatiana
de ses lèvres-parchemin sur ses seins
de ses testicules molles pendant au-dessus d'elle
le fusillait – Admettons.

Ainsi donc, armé de cette noble résignation,
il passa au stade *toute façon tant mieux, je ne suis pas*
vraiment amoureux,
tout cela n'était qu'une gigantesque arnaque,
et, avec la grosse truelle de cette allégation,

195

se maçonna un mur rectangulaire de briques
justificatives :

Après tout   je ne sais pas   qui elle est   Je lui ai   à peine
parlé   Je n'aurais jamais   repensé à elle   sans ce matin-là
Nos centres   d'intérêt   sont trop différents   Je ne   vais
pas   gâcher   mon temps   pour   une fille qui   ne me plaît
pas   Qui n'est   même pas   mon genre   Je lui ai   déjà dit
non   Je devais   avoir   mes raisons   Même si   je ne m'en
souviens   pas   non   Entre nous   ça ne   marcherait   pas.

Mais cette simple déduction, *nous nous sommes emballés
pour rien*, gigotait et lui glissait entre les doigts ; visqueuse
explication, anguille d'explication :
son esprit la validait,
mais son corps lui donnait tort, car
rien n'était plus réel pour Eugène, et ne l'avait jamais été,
        que ses entrailles embobinées autour d'une tige
d'acier glacial, quand il pensait à Tatiana,
        l'impossibilité de pousser dans sa bouche toute
fourchette de nourriture,
        et le sommeil suspendu au-dessus du lit comme du
linge à sécher,
tout cela ce sont des choses réelles ;   cette gorge rêche,
déglutissant du plâtre,
ce bourdonnement de mouche dans les oreilles et l'estomac
comme un sac de scorpions,
        tout cela est *vrai*, et ton mur d'explications
        il est faux,
        il ne résiste pas à trois de tes respirations hachées
quand tu penses à l'étendue de sa peau,
        à tes mains cherchant par où passer,
        à ses lèvres sur le point de t'embrasser.

Tout cela est vrai, et il n'y a jamais eu de plus grande certitude ; quel malin génie pourrait te duper ainsi,

pomper tout ce sang à travers tout ton corps (pas facile pour des petits bras rouges de démon),

faire de ton oreiller un coussin à épingles (exercice de précision), plier et ranger ton sommeil dans un tiroir (ça prend de la place),

soyons sérieux. Tout cela, c'est la réalité.

C'est le reste du temps que tu te mentais.

Eugène lui écrivit pour lui dire tout cela :
texto, email et même une lettre ou deux,
appels, messages sur le répondeur

mon Dieu,
mais quel loser
laisse encore des messages sur un répondeur ?
nous sommes tombés bien bas toi et moi

(Tatiana je pense que nous passons à côté de   songe à
          pourquoi ne pas   tu vois   c'est une
intuition que j'ai   dans le temps   qui reste
          salut   il vaut mieux
avoir des remords   que des regrets   juste au cas où
          il me semble   pas toi ?
    mais si on essayait   d'aller là-bas
                    vivre ensemble
                                        je t'embrasse)

Tout cela étant resté lettre morte,
bientôt il ne resta que la tristesse,
dont Eugène s'encagoula vaillamment.

197

Elle était grise et grattait comme la laine.

Jamais confortable. Eczéma derrière les oreilles.
Tiraille les cheveux.

Pas pratique pour parler. Bloque le champ de vision
sur les côtés.

La nuit, si / quand il finissait par s'endormir,
sa tristesse restait sur la table de chevet,
et c'était sur elle dès le matin que son regard se posait.

Toujours là, toi.

Eugène n'était pas dupe, il savait
qu'au bout d'un moment elle finirait par s'effilocher,
cette capuche de tristesse,
par perdre de-ci de-là deux trois brins fins
comme des cils,
par se laisser ronger par les mites des minutes
et des heures passées,
et un jour enfin tomber par terre, chez lui ou
au milieu de la rue,
guenille d'une histoire d'amour pas vécue.

Mais il aurait aimé que le processus s'accélère, il avait l'air
con avec ce visage tricoté,

il se disait que merde, Tatiana il l'avait même pas
enlacée, pourquoi c'était si serré, ces mailles ?

ils pourraient pas se ramener plus vite, les grignoteurs
de gros-grain,

les détisseurs de tristesse ?

Il les voulait le plus tôt possible et de préférence maintenant.
Sauf qu'ils travaillent toujours trop lentement, ces flemmards,
alors il faut attendre.

Il attendit jusqu'à avril.
Avril ne le découvrit pas d'un fil.

Vers mi-mai, enfin réveillée, la ville fit quelques étirements,
se remit à postillonner des petits oiseaux dans le ciel,
s'accrocha des bourgeons aux oreilles,
et Eugène s'aventura dans les rues.
Remarquant les jupes abrégées, il s'imagina
de longues jambes enroulées comme des couleuvres
autour de son ventre.
Cette idée tiède lui fit un peu de bien ; elle présageait de beaux abrutissements,
un distrayant bruit de fond,
pour étouffer le hurlement des mois passés.
Bien sûr, il était encore trop tôt pour errer dans les bars,
il portait encore son heaume d'homme le plus malheureux au monde,
mais pour la première fois il se dit qu'il y avait des chances qu'il oublie,
l'espace de quelques secondes,

qu'il avait complètement raté sa vie.

Il gonfla la poitrine,
et s'efforça de siffloter,
histoire de se faire croire que ce tronc d'air
qui soutenait encore sa vie béante
n'était pas vide, mais plein
d'une musique
en attente –

Pendant ce temps,

      à la bibliothèque Sainte-Geneviève, baleine de fer
        et de pierre, gracieuse gare, sous les nobles arches,
parmi les étudiants écrasés par les locomotives de soleil qui
fracassaient les vitres,
Tatiana tâchait de se concentrer.

                Devant elle, un livre ventripotent.
        Dedans, des paragraphes qui ne voulaient rien dire.

Transmogrifié par l'hypermnésie pointilliste, le paysage
polychrome et coruscant surstimule, voire pousse à
la synesthésie, le sujet regardant.

            Putain je devrais lui écrire
Un livre comme un seau à clams, des phrases comme de
flasques mollusques,
dont elle ne parvenait pas à extraire un éclat de coquille.
         Non ce serait très con de lui écrire.
Non.
Plus que deux jours à tenir
tu peux tenir encore deux jours quand même

Sotériologique, la ballerine de Degas l'est sans doute ;
touché par sa grâce messianique, l'on caresse le rêve
d'une utopique et sempiternelle apesanteur.
        qu'est-ce que ça veut dire ces conneries
peut pas parler normalement cet abruti

Impossible de donner sens à ces phrases cryptiques.

Tatiana déposa le livre dans son sac,

dans ses mains son front,

et poussa pour faire apparaître le 14 juillet niché sous
ses paupières,

> feux d'artifice et explosions
>
> qu'on a tous à disposition
>
> pour les moments où on ne sait pas quoi faire.
>
> *fatiguée ces jours-ci*   *mal à tout.*

Mais même le grand bouquet final – par double pression
du pouce –,

Tatiana ne l'apprécia pas beaucoup.

> *putain je suis à bout*
>
> *où j'ai foutu ma concentration ?*

Après avoir pris sa décision,

à San Francisco,

Tatiana s'était d'abord sentie   bien,

comblée, contente.   Rassérénée.   Ensuite,

longtemps elle s'était couchée de bonne heure, et avait dormi
sans se réveiller ;

elle allait traverser le grand océan   sans lui,

> sans personne,

parce qu'elle avait de grandes jambes et de grands rêves et
ça suffit ;

et qu'après l'histoire de Lensky, et en repensant

à ce qu'Eugène lui avait avoué –

> et Olga, mon Dieu ! Olga et Anthony ! –

enfin, elle n'avait pas besoin de se trimbaler ça toute sa vie.

Et puis, et puis à San Francisco

> elle avait vu ce qu'elle raterait

si elle laissait Eugène l'embarquer : la beauté,

> la vraie,

de l'existence qu'on a décidée,

choisie, ciselée,

la beauté des passions destinées à se consumer
tout au long de notre existence,
d'une tendre et glorieuse incandescence.
Elle le savait :
il y avait des couleurs et des coups de pinceau
qui toute la vie
lui vernisseraient les yeux de larmes,
et ces amours-là ne perdraient jamais leur charme ;
jamais de la vie elle ne regarderait son tableau préféré
en se disant

je ne comprends pas ce que j'ai bien pu lui trouver
ou   *il a pris du ventre*
ou   *j'ai gâché tant d'existence*
        à le contempler

Ces amours-là ce n'étaient pas des accidents,
pas des amis de copain de sœur
rencontrés dans un jardin,
à qui l'on parle par désœuvrement,
et que l'on se met à attendre le lendemain,
parce qu'on est seule, et petite,
et impressionnable,
et que n'importe qui, dans ces conditions
pourrait entrer dans notre cœur
par effraction
et y semer un désordre effroyable,

non !

Ses passions à elle, les vraies, les belles,
c'étaient des amours durables. Elle y serait fidèle ;
c'était la seule chose qui soit vraiment à elle.
Et puis à San Francisco elle avait rencontré des semblables,
des gens comme elle,
animés d'un même enthousiasme.

Et d'ailleurs il y avait de beaux jeunes hommes
là-bas,
avec qui elle était tout à fait compatible ;
au besoin, elle n'aurait que l'embarras du choix,
une grande panoplie de relations saines et amovibles ;
ces garçons-là liraient ce qu'elle aurait écrit,
ils lui tendraient l'oreille,
ils la comprendraient quand elle dirait
que la lumière à travers les rideaux,
dans *Martial jouant du piano*,
est un miracle d'exactitude,
mais où Caillebotte est-il allé trouver ce jaune ?
c'est comme un mélange de beurre et de soleil
Oh, ils seraient rudes,
ces premiers jours, ces premiers mois loin de tout et d'Eugène,
mais très vite elle se ferait à cette vie américaine,
cette vie savonnée de son passé ;
après quelques semaines, elle œuvrerait avec sérieux
à rendre amoureux
l'un de ces jeunes hommes entraperçus dans les espaces
blancs des musées,
et elle et lui se concentreraient, pour que soit efficace
autant que délicieux
leur tendre et érudit partenariat,
toujours constructif,   jamais   ennuyeux.
Tatiana avait été
il faut l'avouer
dérangée parfois dans ses projets
par les sursauts de son téléphone,
crépitement de castagnettes ;
les messages d'Eugène étaient piquants, certes,
petits oursins dans ses grandes bottes en caoutchouc, mais

203

elle se voulait nouvelle,
et devant elle la mer était spumescente et crêpelée,
elle l'appelait à elle,
il fallait donc absolument la traverser ; elle se sentait,
depuis que tout avait été décidé,
galion et caravelle.

Seulement voilà : depuis quelques semaines,
les mots d'Eugène
s'étaient
remis
à lui trottiner dessus,
doucement,
car ils ne l'avaient jamais tout à fait quittée :
elle avait sur elle
son téléphone avec les textos d'Eugène dedans
son ordinateur avec les emails d'Eugène dedans,
les deux lettres d'Eugène pliées en quatre
dans son sac à main,
et surtout, tout ce qu'Eugène lui avait dit,
depuis le début,
casé dans l'arrière-boutique de sa mémoire,
magasin subitement rouvert ;
et tous ces mots piétinaient Tatiana de leurs pattes minces,
comme des chatons,
par petites poussées tendres,
toujours à la limite
entre la caresse et l'égratignure.

et maintenant il me déteste c'est sûr

204

j'aurais dû être claire dès le début
Elle relut son dernier email
dernier
ce mot lui ceintura la gorge,
elle qui ne pleurait jamais,
ou si rarement, s'en émut fort à ce moment
je dois être fatiguée
normal j'ai passé deux semaines à faire mes valises à dire
au revoir aux gens
à Olga à Maman aux jumelles
mais tous ces gens avaient pleuré, pas elle,
parce qu'au fond elle était heureuse de partir, pour eux c'était
triste, les pauvres gens,
mais elle, elle avait cette béatitude égoïste de l'explorateur
des cinq continents,
cette confiance notoire :
je vais faire de ma vie une riche et belle histoire.
Et voilà qu'entre deux rayonnages
de la bibliothèque,
Eugène resurgissait, terrible réapparition,
terrible aplatisseur de tous les enthousiasmes
qui eussent dû la porter vers l'avenir ;
Eugène, boulet aux pieds ;
comment lutter, comment l'occire,
l'Eugène en ses pensées,
hydre immortelle qui, depuis ses quatorze ans,
resurgissait toujours au mauvais endroit
au mauvais moment ?

Ainsi s'éplorait Tatiana à deux jours du départ,
ainsi tripotait-elle son nouveau Mac Book,
ainsi faisait-elle glisser son curseur,
l'air de ne pas y toucher,

vers certaine icône,

                          ce qui me porte à croire

qu'elle était en train de chercher
à se dire
qu'il serait encore de l'ordre du possible –

                         qu'il ne soit

peut-être pas   tout à fait   trop tard –
                                       ?

    Et c'est ainsi que quelque part
      ailleurs,
      Eugène, qui, justement, allait un petit peu mieux,
      Eugène dont le masque de tristesse
commençait à lui ménager des trous un peu plus grands
pour les yeux,
reçut inopinément un *ping* de Skype.

                  tatiana.reinal
                          lui annonça Skype

           souhaiterait
                          lui annonça Skype

se connecter   avec vous
                          lui annonça Skype

Un petit disque s'ouvrit au cœur de son écran,
encerclant le visage souriant de Tatiana
sur une photo qui datait d'il y a au moins trois ans.
              Et ces mots :

Bonjour, Je souhaiterais vous ajouter sur Skype.
(message automatique
quand on ajoute quelqu'un sur Skype.)

Eugène contempla l'icône, l'annonce, grommela,
« Je te déteste,

vraiment, je te déteste »,
et immédiatement il cliqua Accepter, de ses doigts patauds
comme des saucisses,

le corps agité d'une course de char à la Ben Hur,
grand galop de la nuque aux orteils.

Flageolant, il attendit la suite,
qu'elle répondît ou expliquât ou écrivît
ou justifiât ou   *putain ça y est elle écrit*
le petit crayon qui bouge ça dit qu'elle écrit
il observa la danse du petit crayon qui bouge
                    « *le petit crayon bouge* »
répéta-t-il dans sa tête comme un enfant hypnotisé
                    devant une lanterne magique
il bouge   il bouge vachement, même
       elle m'écrit un roman ou quoi
            le petit crayon bougeait en effet beaucoup,
il y avait des milliards de phrases en cours d'écriture,
Eugène les imaginait crépiter sous les doigts de Tatiana :

« Je suis infiniment désolée ; tu es l'homme de ma vie et
je veux être avec toi à tout prix. Avec Leprince ça s'est très
mal passé, il refuse de m'épouser et en plus il est nul au lit.
Et tu sais je déteste mon post-doc à la con et je veux partir
avec toi au fin fond de la Sibérie. »

            Le petit crayon bougeait toujours.
            Que racontait-elle maintenant ?

Peut-être :

« Le seul truc c'est que sexuellement je suis très active et je dois savoir si ce serait un problème pour toi. Par exemple il est possible que je te réveille plusieurs fois par nuit. »

Ma chère Tatiana, pensa Eugène,
ce ne serait pas du tout un problème.
Je m'engage à répondre à tes besoins à n'importe quelle heure.
Parole d'honneur.

        Le crayon continuait sa tarentelle,
Eugène au bord de sa chaise tremblante attendait,
le regard rivé à ce crayon de pixels
à côté du disque orné de Tatiana d'il y a trois ans ;
il attendait, et moi

                        je peux vous dire,
parce que j'étais dans les deux endroits à la fois
à cause de mon privilège un peu énigmatique,
que Tatiana non plus n'en menait pas large ;
elle avait le contrôle du petit crayon qui bougeait,
                             certes, mais
comme Eugène elle frissonnait des pieds à la tête,
            secouée comme une calebasse,
        et elle frappait des fautes à chaque mot
        parce qu'elle était gauche et fébrile,
        pauvre pauvre petite maracas,
et il lui en avait fallu du temps pour oser écrire
                             tout ça !
        Tout ça ! Tout cet énorme bloc de texte
                           qui disait

 qui disait mais attends   non
       Maj+Ctrl+→+ Suppr

Mais

qu'est-ce qu'elle a foutu ?

Oh là là. J'en connais un qui va exploser.

Eugène, je suis désolée : elle a tout supprimé.

Eugène avait vu. Enfin, il avait vu   le crayon s'arrêter
                                                              hésiter
                                                              et se dandiner
                                                              pour effacer
ce grand roman qu'elle écrivait depuis cinq minutes.
Cependant il réagit peu. Il avait été changé en glace.
Ses dents stalactites grinçaient, mais à part ça,
tout allait bien.
Il imagina les mots inconnus tourbillonner dans le grand
siphon d'Internet,
se faire dissoudre par les enzymes gloutons
des fermes à serveurs,
        et il y trouva une sorte de contentement nostalgique.
          C'était comme quand le soleil engloutirait la Terre.
Qu'est-ce qu'elle a voulu dire ?
                    Qu'est-ce que ça peut bien me faire ?
C'est parti. C'est disparu.
Il était étrangement apaisé par cette idée.

Quelques secondes plus tard le crayon se remit à s'agiter.
Pour délivrer le message suivant :
                                        hello
« D'accord, » déclara posément Eugène à son écran.
Il écrivit   *hello*
        Le crayon tout joyeux reprit sa gymnastique.
ça va ?
                    Comme il n'en était pas à un mensonge près,

209

Eugène répondit :
nickel et toi ?

ça va
je voulais te souhaiter bon anniversaire avant de parir

Bon anniversaire.
Son anniversaire étant dans deux semaines,
c'est ce qu'on appelle une excuse bidon.
Et faute de frappe freudienne. Partir/parir/périr.
Parir = pas rire.
Elle a peur de mourir en partant
ou d'être triste comme une pierre
à l'idée de le laisser derrière.
tu pars quand ?

arpès-demain

arpès ? herpès ?
bon peut-être que les fautes de frappe
ne sont pas toujours révélatrices, finalement…
waouh
t'as tout préparé ?

presque
j'ai deux valises déjà
j'espère que je vais pas dépasser la limite de poids
ah oui c'est 20 kg un truc comme ça
léger quand on part pour deux ans
oui exactement
tu fais quoi de ton chat ?

je le prends avec moi
dans la soute le pauvre il va pas aimer
mais là-bas il y aura de l'espace il sera content
oui

Sur ce, il y eut un blanc.

De chaque côté du vide, en face de leur écran,
séparés-ligotés par des kilomètres de câbles électriques,
ils s'observaient sans se voir.
Deux aveugles en rendez-vous galant,
une taupe face à un miroir. C'est ce qu'on est souvent,
quand on discute avec pour seul interlocuteur un sourire
rond, un visage fixe,

                        un petit téléphone vert.
Et en dessous, les mots dévidés qui souvent n'ont pas de
sens en eux-mêmes,
seulement un sens parce qu'ils ont été formulés ; pas de
lecture entre les lignes possible ;
juste une lecture hors des lignes : ces mots-là ne veulent
rien dire ;
seul le fait que tu *veuilles parler* veut dire.   Mais quoi ?

et sinon
t'as des trucs prévus pour ton anniversaire ?

                        non pas spécialement
                ce n'est pas un anniversaire important

Le crayon se remit à s'agiter. Ce crayon –
        ce crayon peut rendre fou,
        mais il est   comment dire   compatissant.
        Il sait qu'il a une mission à remplir. Il y met du sien.
        Sans lui on se demanderait si l'autre est toujours
        au bout du fil,
        ou s'il est parti en nous laissant tout seul :
        c'est l'angoisse de l'abandon que ce crayon déjoue.
        Grâce à lui on devine, un peu par synecdoque,
des doigts qui courent. On sait qu'il y a quelqu'un qui
quelque part écrit pour nous.

211

je suis désolée pour mon silence
Eugène
il fallait que je me concentre sur mon départ
tout ça

                        Fléchette du mot départ.
                                non non je comprends
dit Eugène qui ne comprenait pas.
Il ajouta :
                        tu peux me le dire directement
                        s'il y a un truc avec ton prof tu sais
Crayon. Crayon crayon crayon.

mais putain arrête avec ça
il y a rien avec mon prof c'est fou ces soupçons
                                        ah OK
                                je suis con
                je m'emporte sans raison je cherche mal,
                        je tombe sur la mauvaise explication
mais je t'ai expliqué
                                j'ai du mal à te croire
                j'ai l'impression qu'il y a quelque chose d'autre
                                que je devrais savoir
peut-être bien
peut-être

Blanc

Eugène il y a une phrase qui m'est revenue en mémoire
une phrase de toi
                                        laquelle ?
une phrase que tu m'as dite dans l'escalier,
il y a dix ans
                                        mais quoi ?

Blanc

tu ne t'en souviens pas ?

> *non, j'ai tout oublié*
> *je ne sais même pas qui était ce garçon-là*
> *je disais quoi ?*

Crayon. Gomme. Crayon.
tu ne t'en souviens vraiment pas ?

> *non, Tatiana*

tu te souviens pas
du jour où tu m'as cueillie en haut des escaliers
pour me dire

> *pour te dire quoi ?*

c'est drôle comme ça te ressemble
de ruiner la vie des gens comme ça
et la tienne en même temps, et de tout oublier l'instant d'après.
Tu m'avais dit
Eugène tu m'avais dit
Tu m'avais dit qu'on s'ennuierait ensemble.

Il contempla ces mots, et soudain
une scène lui revint en mémoire,
> mais dite et jouée par quelqu'un d'autre,

comme un aria pompeux,   entendu il y a fort longtemps
dans un théâtre,
> dans le presque-noir,
> sous de grands dais bistres,
> avec technique et avec sérieux,
> > et sans faute,
> mais sans poésie,
> > et d'un triste…

6

« Tu m'as écrit, Tatiana, pas la peine de le nier. Tu m'as écrit et ton message n'était d'ailleurs pas mauvais.

Il y a une sorte de sens du rythme, une certaine poésie, ça ne m'a pas déplu. Ça m'a même touché, figure-toi. Tu sais que je t'aime bien. Tu es comme une sœur pour moi, et peut-être même… peut-être même un peu plus. Enfin, on s'entend bien, et si j'étais à la recherche de quelqu'un, OK, j'attendrais que tu sois sortie de l'enfance, mais je songerais sans trop de difficulté à la douceur de partager de bons moments avec toi. Pourquoi pas.

Mais ce n'est pas le cas. Je ne suis pas d'une disposition qui incite à l'attachement. Je pense rarement à ces choses-là. Ça m'intéresse peu. Quand tu auras connu comme moi des histoires diverses, tu verras. C'est intéressant les premières fois, et puis on s'ennuie vite. La *khandra* s'empare de toi. Même si j'étais amoureux de toi, au bout d'un moment je m'ennuierais.

On s'ennuierait.

Tatiana, on s'ennuierait ensemble.

C'est peut-être triste à dire, mais c'est la vérité. Je n'ai pas encore trouvé de grand remède à l'existence, mais s'il y en a un, je soupçonne que l'amour ne fait pas partie de la recette. J'espère que je ne te vexe pas si je te dis que tu es encore une gamine, et que je sais, et que tu ne sais pas, ce que l'amour n'apporte pas. Si tant est que tes sentiments soient ce que tu penses qu'ils sont. On ne tombe pas comme ça amoureuse d'un visage que l'on croise dans un jardin.

Je te remercie de ton message, mais l'amour n'est pas ce qu'il te semble. On s'ennuierait.

On s'ennuierait ensemble. »

7

Qu'est-ce que c'est con l'adolescence.
Qu'est-ce qu'on est con.
Non.   Pas tous.   Pas eux. Pas Tatiana ni Lensky.
                                 C'était moi qui l'étais.
Lensky était amoureux   *il avait raison*
Tatiana était amoureuse *elle avait raison*

                                        Ils étaient grands.
        Et moi, si vierge de tout soupçon,
                moi impeccablement incapable de sentiment,
                        j'étais rien d'autre que con.
Lensky et Tatiana avaient tout compris,
je pensais qu'ils étaient naïfs,
                c'était moi – c'était moi qui l'étais,
                        Moi je vous aimais tous même si vous étiez nuls
                        parfois et fautifs,
        et moi qui n'aimais personne moi qui avais tellement
        besoin d'être aimé,
        je les ai fait fuir, l'un après l'autre. Je les ai laissés
        m'abandonner.
         Oh, Lensky,

                                        oh Tatiana,
                tout le long c'était vous qui saviez.

On se croit mûr,
on est sûr
de ne pas se tromper parce qu'on plante son futur
dans une terre sèche entre des billes d'argile
pour qu'il ne pousse pas trop beau et trop facile,
qu'est-ce que j'étais con !
qu'est-ce qu'ils avaient raison,
qu'est-ce qu'ils ont essayé de me rendre mieux.
J'avais dix-sept ans ! d'où me venait ce sérieux ?
d'où me venaient –
d'où me venaient ces grands principes ?
Qu'est-ce qui m'empêchait de me pencher sur Tatiana
pour l'embrasser,
j'aurais sûrement adoré ses lèvres,
ou de dire à Lensky qu'il avait raison de croire en ses rêves,
et d'y croire moi-même ?

Lensky.   S'il était là, ça le ferait marrer
que je soliloque comme il l'aurait fait lui
simplement   sans fioriture
un peu vulgairement,
oh Lensky
j'aurais eu tellement besoin de ton envergure
j'aurais eu tellement besoin que tu me ventriloques
que tu me dises quoi dire à Tatiana
que tu te moques
de mes pauvres et maigres convictions
au lieu de croire que c'était toujours moi
qui avais raison –
oh vous deux, idiots savants,
pourquoi avez-vous tellement cru en mes sermons ?

220

MOI   C'est bien, dis donc. On dirait du Lensky.
Qu'est-ce que tu peux être lyrique quand tu t'y mets.

EUGÈNE   J'ai dû développer ça en mûrissant.
Il faut que tu m'aides.
Qu'est-ce que je fais ? Qu'est-ce que je lui dis ?
Que je regrette ? Que j'ai changé ?

MOI   À Tatiana ?
C'est mal barré, mon chéri.
Elle a changé aussi.
Je la comprends, tu sais.
On est très différentes elle et moi,
mais cette vie que tu lui proposes,
elle n'en veut pas.
Elle a trouvé son chemin sans toi.

EUGÈNE   Mais je l'aime !

MOI   Mais elle aussi, elle t'aime.

EUGÈNE   Comment tu le sais ?

MOI   Je suis très psychologue comme ça.
Et puis il me semble avoir déjà entendu une histoire
un peu comme la vôtre
une ou deux fois.

EUGÈNE   Je lui dis quoi ?

MOI   « Tatiana, je suis désolé.
Franchement, j'ai été trop con, je sais. »
Commence par là.

Tatiana je suis désolé
franchement j'ai été trop con je sais

221

écoute non, c'est pas la peine d'en parler
je ne t'en veux pas
la manière dont tu m'as repoussée
me glace encore le sang aujourd'hui
mais tu n'as pas mal agi
tu aurais pu profiter de moi, tu ne l'as pas fait,
finalement tu as été assez gentleman sur ce coup-là
je devrais te remercier

> *pitié ne me remercie pas*
> *j'ai eu tort ! je le sais maintenant*
> *Tatiana il faut qu'on se voie*

Silence.
Pas de petit crayon,
Silence si long, si long,

qu'Eugène crut un instant à l'abandon.

Et puis elle reprit :

si tu veux on peut prendre un café avant que je reparte
après-demain je suis libre le matin
mon avion est à 1èh
17h pardon

> *non*

dit Eugène.

Tressaillement du crayon.
Gomme.
Re-crayon.

bon tant pis alors

> *on peut se voir maintenant ?*

dit Eugène.

222

Blanc.

non

Blanc.
Crayon. Crayon.

je peux pas là
je suis à la bibli

                                    où ça ?
                                    BnF ?

non à Ste geneviève
je suis en plein boulot de dernière minute
après-demain matin je suis libre c'est ça ou rien

Le téléphone d'Eugène devint orange.   Ce qui veut dire
                                            Absent.

Tatiana claqua le bec de son Mac Book,
le rouvrit,   le referma,
        le rouv-   non, juste à moitié,
                                        le referma,
hésita à le rouvrir,
        c'est un ordinateur, chérie, pas un accordéon,
        ni un éventail,
        tu te remets au travail ?

                                    ah non,
                            tu rentres à la maison ?
Je sais pas. Laisse-moi tranquille.

Tu pars déjà ?
T'as pas fini de ficher ton livre.

t'es qui,
ma directrice de thèse ?

non

alors tu me fous la paix

dis donc,
c'était une catastrophe un peu cette conversation.
Tu voulais en tirer quoi, au juste ?

j'ai pas besoin de ton
attends n'oublie pas ta carte
tu m'as l'air perturbée.
Tu veux en parler ?

Pauvre, pauvre Tatiana.
Son visage était troublant,   si vous saviez,
il avait l'air adolescent,   encore plus que
dix ans auparavant,   si c'est possible ;
                je veux dire qu'il était certes plus grand,
évidemment,
plus beau, plus élégant,
que sa petite bouille de quatorze ans,
      mais que sous ce visage, tout flambait à nouveau,
      de ces pourpres rapides qui irradient la peau des pieuvres ;
      vous connaissez comme moi ces rougeoiements fugaces :
      ce grand incendie que le temps éteint…

oh comme il me déplace

Et voilà, ça revient.
Skype et amours perdues ne font pas bon ménage.

224

comme il décale mon existence, comme il me ravage,
de toute façon je le savais.
Du jour où je l'ai rencontré, les dés étaient jetés.
J'étais envoûtée.

Moi aussi, tiens.
Marrant ça.

J'aurais dû savoir que je n'arriverais pas
à m'en débarrasser

Pareil pour moi.

Il colle à moi, mais à travers lui,
je colle à celle que j'étais quand j'étais nulle,
quand j'étais naïve et riquiqui,
petite bille de rien – j'étais rien à l'époque.

Tu es dure avec toi-même.
Peut-être que ça a échoué à l'époque ; peut-être
que tu étais petite et faible, mais maintenant
peut-être que tu es assez grande
pour en faire quelque chose de grand.
Regarde comme il regrette. Ça marcherait
peut-être.

Non. On n'a jamais fait que se croiser.
À l'époque il était blasé,
j'étais passionnée,
il ne pensait pas à demain et moi
je voulais l'éternité.
Maintenant je sens que c'est l'inverse, tu vois.
Il lui manque quelqu'un, il ne me manque personne.

C'est ça, oui.

Quoi ?

Non, rien. Continue.

225

Je veux être libre, ça ne marchera pas.
Je ne veux pas devenir comme Olga,
Lui il s'encroûte maintenant tu vois, il a changé ;
On est toujours allés dans des directions opposées.

                                        Ah bon.
                              C'est bizarre pourtant
                   parce que là il m'a tout l'air de venir
                                   dans ta direction.

Comment ça ?

                                        Il arrive.

Comment ça il arrive ?!

                          Il remonte la rue Soufflot
                               vers la bibliothèque.

Quoi ? Là, tout de suite ?

                                             Oui.
                    Tiens, il entre… avec une vieille carte,
                             étonnamment non périmée.

Mais comment tu le sais ?

                                      Je sais tout.
                                Il monte les escaliers.
                              Qu'est-ce que tu fais ?

Je récupère mes affaires et je m'en vais.

                              Eh bien tu vas le croiser
                                   en haut des marches.

Je suis piégée.
Je suis piégée.
(Elle soupira.)   *Typique, je suis piégée,*
je l'ai toujours été.

                    Arrête de faire ton héroïne tragique. Va lui parler,
                                   si c'était moi, tu sais,
                                   je lui sauterais au cou.

Tatiana leva les yeux vers les arches dentelées
de la gare-bibliothèque,
chercha du regard quelqu'un pour la cacher peut-être,
mais tous les étudiants avaient la tête dans leurs livres,
des boules Quiès multicolores aux oreilles,
rangées de jeunes mandarins

                          sourds au reste du monde,
lunettes-aspirateurs à citations philosophiques,
                   autruches blondes,
                         Allez, Tatiana,
         allons, seule mandarine parmi les mandarins
           à écouter quelque chose d'autre que ces livres,
                 à vouloir un peu vivre,
                          allons,
                 jette-toi dans ses bras,
        personne ne fait attention à vous
                      (sauf moi).
                On est entre nous.

Ma pauvre fille (me dit-elle à moi ! elle est gonflée),
ça ne risque pas d'arriver.
Heureusement que j'ai un peu de dignité.

                          Bon, OK.
                      Alors vas-y.
              Je te regarde être digne.

Tatiana trouva Eugène en haut de l'escalier,
elle, l'ordinateur serré contre sa poitrine, armure carrée,
        lui ballotté comme un bouchon sur l'eau
par l'effort de la course, des marches, de tout ce qu'il lui
restait à faire,
et lui que je comprends si bien,   bien mieux que Tatiana,

voulut immédiatement la prendre dans ses bras,
– oh, moi, combien je me serais laissé faire –,

                                        mais elle,
« Eugène,   murmura-t-elle, et se dégagea,
       Je ne veux pas   de scène   ici. »
       Pourquoi ? C'est un décor parfait, pourtant,
ce palais de papier et de cuir et de fer et de pierre,
avec ses pantins penchés sur leurs pages,
       mais déjà elle dévalait les marches – il la suivit,
« Tatiana, il faut que je te parle, je t'en supplie,
       écoute ! »
                        et sa voix de basse emplissait l'espace,
       épaissie par la passion, elle se pressait contre les murs,
       et Tatiana ralentissant, épuisée par cette voix puissante,
au milieu des escaliers il parvint à lui attraper la main.
       Sous cette pression des doigts,
              à tous les deux il sembla
que les marches se retournaient, montaient à l'envers,
                                        ils virent
       l'escalier de la bibliothèque redessiné par Escher,
seule cette main serrée les empêchait de tomber par terre –
« Tatiana, écoute-moi, souffla Eugène, écoute,
                        c'est trop bête,
je comprends que tu sois loyale à
                                        ton travail, ou
       enfin tous tes trucs, Caillebotte
       tout ça
mais

écoute-moi, je te promets : jamais,
                   jamais on ne s'ennuierait ;

j'étais fou il y a dix ans, aujourd'hui ce sera différent,
         si tu restes ici avec moi au lieu d'aller là-bas,
on sera ensemble pour toujours comme tu voulais,
comme je le veux maintenant,
         – écoute

                              écoute ce que je veux…»
         Et il lui raconta ce qu'il voulait,
                    à mi-voix, alors qu'autour d'eux
                    louvoyaient des étudiants pressés :
pour Tatiana il effeuilla
         cent mille milliards de possibilités,
                    lui raconta
des chapitres de leur vie à venir, il les conta si douces,
                    si moussues, ces histoires,
                    si poudrées par la lune ;
elles étaient pleines de promenades et de lagunes,
         d'empreintes de pas mouillés sur un carrelage
                    à la sortie d'une douche à l'italienne,
                    de petits déjeuners que l'on partage,
         au lit, le plateau voguant sur la couverture,
         dans les zébrures
d'un soleil lamellé par les persiennes.
         Il lui décrivit des joies minimes et glorieuses,
                         Apprendre à faire du ski ensemble –
                              j'ai jamais essayé.
                         Se casser la figure dans la poudreuse.
Et un jour on dirait que je t'emmènerais
très inopinément par un avion surprise
à la biennale de Venise,
et tandis que tu regarderais les oeuvres, je t'enlacerais.
                         Lire, côte à côte, tout une après-midi,

place Alphonse-Deville sur le banc du square,
se découper de longs extraits choisis,
et puis le soir,

juste tomber sur un collègue au coin d'une rue
alors qu'on est main dans la main tiens salut
je te présente ma copine
il serait impressionné je serais ravi
et puis

un jour on rencontrerait ta meilleure amie
et je te dirais ensuite dis donc elle est jolie
ça se voit en plus que c'est une fille bien
(alors que par rapport à toi cette meuf c'est un boudin)
juste pour te voir un peu piquetée de jalousie
attendre que je m'excuse en t'embrassant

et aussi
nos corps anguilles dans un bain moussant,
les déjeuners chiants chez mes parents,
tes cheveux réglisse,
deux verres de vin blanc au bar en bas,
l'odeur de la peau de tes cuisses,
tout ça,
rentrer en TER d'un week-end en province,
sur mon épaule ta tête fatiguée,
sur ma jambe ton poignet mince
où scintille, accrochant la lumière crue du train,
un petit bracelet que je t'aurais acheté
et tous ces moments Tatiana,
où on serait si disponibles,
à portée de main,
à fleur de bouche,
nos lèvres comme un coeur de cible,
tous ces endroits où il serait possible qu'on se touche,

230

un peu,
comme si c'était normal, la main, les hanches, les cheveux,
ces salles d'attente d'aéroport,   ces abribus pluvieux,
ces dîners entre amis,   ces longs embouteillages,
ces chambres d'hôtel dérangées,
ces cinémas le samedi soir,
tous ces endroits où il me suffirait de me pencher
                    pour poser les lèvres sur ta tempe,
        tous ces moments où la lampe –
                    s'éteint.
Et après… »
        Et après, quoi ? Qu'est-ce qu'il lui faudrait d'autre,
        à Tatiana, pour accepter ces bras ouverts ?
        Comment dire non,
                    après une telle déclaration ?
Pour renforcer ses chances, Eugène passa à la négociation,
(c'est pas pour rien qu'il était consultant business conseil
relations) ;
        plein d'une nouvelle âpreté,
        il s'employa à lui démontrer
        qu'il y a toujours une solution.
« Tatiana, il y a toujours une solution –
tu sais quoi,   je t'accompagne, mon boulot je m'en fous,
je sauterai pour toi dans le premier avion,
je vivrai avec toi, on sera chez nous… »
                            Cette vision
empoigna notre Eugène : aussitôt dans sa tête
il se dressa une liste de choses à faire,
je lui ferai la cuisine tous les jours,
                    et puis l'amour
et des massages,
                    pour la distraire de son boulot,
je l'accompagnerai à chaque expo,

231

et si elle est stressée, alors,

un matin d'hiver,

quand il fera moche dehors,

je lui arrangerai dans un verre à vodka,

sur la table de nuit, avant qu'elle ne se réveille,

un miniature bouquet de mimosas,

comme un arbuste de miel pops, jaune poussin,

et tout autour,

des post-it qui disent : « à ce soir, mon amour,

j'espère que ta journée se passera bien ».

Et Tatiana peut-être avait elle aussi de telles idées en tête,

car elle serrait plus fort la main

qu'Eugène lui avait offerte,

et elle

Mais oui ! je crois

que je la vois hésiter, son regard à terre

fourmille,

monte et descend les marches, vers Eugène, vers la rue,

vers tous ces moments pas encore vécus,

vers ces deux Amériques scintillantes :

l'une, le continent d'une existence choisie,

l'autre, le corps d'Eugène qui s'impose…

Face à ces chemins qui fourchaient,

Tatiana agonisante

se consumait – la pauvre,

pauvre chanceuse,

pauvre chancelante,

malgré elle enlevée et amoureuse… mais

mais malgré tout consciente,

de cette conscience aiguë qu'on a

d'un truc qui ne va pas,

d'un grain de sable entre les rouages,

d'un dérapage,

d'un éternuement du moteur ;
une conscience qui lui piquait le coeur
de cent mille épingles de verre :
la certitude que ce ne serait pas le bonheur,
ce compromis insuffisant ;
Eugène empressé et adorable,
mais Eugène comme un boulet aux pieds,
et puis sa vie à elle tel un plaisir coupable,
un désir jamais tout à fait rassasié...
Tatiana eut la vision de ces deux passions désamorcées,
elle se vit et vit Eugène ensemble, tous deux gisant
dans un salon américain, sur un sofa géant, en face
d'une télé immense, à se caresser tristement, leurs rêves
roulés en boule au fond d'une poche,
se taisant,
abattus,
pour ne pas faire à l'autre le reproche
d'une existence pas pleinement vécue...

Point de salut.

« Non. »
Elle l'a dit.
Je n'y crois pas. Elle a dit non.

« Non, on ne peut pas,
ce n'est plus le moment.
Je ne sais pas quoi te dire,
sauf :
je suis désolée, je dois partir ;
sauf :
ça me fait aussi mal qu'à toi ;
sauf :
bien sûr que je regretterai, qu'on regrettera.
Mais tout est toujours comme ça,

233

je suis désolée, je dois partir,

              Eugène.

                         Je ne suis déjà plus là. »

Eugène comprit alors qu'elle ne céderait pas,
qu'elle partirait.

        Et il s'y résigna.

        Presque…

… presque comme s'il l'avait senti lui aussi crépiter,
ce grain de sable dans ses rouages,

        comme s'il avait entendu son message.

Il restait une seule chose à essayer,
une seule concession à arracher

        au destin,

              à l'évanouissement de cet amour :

                  « Il nous reste deux jours,

souffla-t-il,

        si tu veux… »

L'idée faisait vibrer tout son corps amoureux,
il se retint aux mains
blanches, tendues, de Tatiana,
s'il te plaît – il n'avait plus de réalité que ces mots-là,
que cette supplication haletante,
et elle, une peau rayonnante

        d'hésitations…

s'il te plaît
s' il te plaît s'il te
plaît s'il te plaît s'il te plaît
s'il te plaît s' il te plaît s'il te
plaît s'il te plaît s'il te plaît s'il te plaît
s'il te plaît s'il te plaît
s'il te plaît s'il te plaît   s'il te plaît
s'il te plaît s'il te plaît s'il te plaît
s'il te plaît s'il te plaît s'il
te plaît   s'il te plaît s'il te plaît
s'il te plaît s'il te
plaît s'il te plaît
s'il te plaît   s'il te plaît s'il
te plaît   s'il te plaît
s'il te plaît   s'il te plaît s'il te plaît
s'il te plaît   s'il te plaît s'il te plaît
s'il te plaît s'il te plaît   s'il te plaît
s'il te plaît   s'il te plaît   s'il te plaît
s'il te plaît   s'il te plaît s'il
te plaît s'il te plaît s'il te plaît
s'il te plaît   s'il te plaît s'il te
plaît s'il te plaît   s'il te plaît
s'il te plaît s'il te plaît
s'il te plaît s'il te plaît s'il te
plaît s'il te   plaît s'il te
plaît
s'il te
plaît
s'il te
plaît
s'il
te
plaît

mais non
mais mais
pourquoi pas non
mais   mais pourquoi
mais   non mais mais
pourquoi mais mais
mais non   mais mais
mais pourquoi   mais
non mais mais mais
pourquoi pas   mais non
mais   mais non mais mais
pourquoi pas non mais
mais pourquoi mais
non mais mais pourquoi
mais mais mais non
mais   mais   pourquoi pas
non mais pourquoi non
non mais   mais mais pourquoi
mais non   mais
mais non mais   mais mais
non mais   mais non
pourquoi mais mais
non mais non
mais pourquoi
non mais pourquoi
mais non
mais
non
mais
non
mais
mais
pourquoi

Tatiana murmura,
« On souffrirait, Eugène –
Eugène deux jours c'est rien, »
              « Non, deux jours c'est mieux que rien,
                deux jours c'est même beaucoup,
         va dire ça à un papillon que deux jours c'est rien.
             Deux jours c'est deux fois sa vie. »

Et tout à coup,

                         Je me souviens –
je me souviens d'une histoire de papillon,
et la vision – fugace – d'une ligne qui menait tout droit –

Oh je crois que ce fut cette vision fugace qui sauva
       Eugène et Tatiana, cette fois,
       car dix, cent ou deux cent mille fois auparavant,
à ce point de l'histoire, elle serait partie en courant,
                elle se serait échappée de la bibliothèque,
aurait traversé le rideau de lumière,
fidèle à ses engagements ;
       et Eugène resté seul, bonheur diamant changé
       en sable entre ses doigts,
       terrassé de l'avoir tenu si serré et laissé s'échapper,
       se serait agenouillé dans l'escalier tordu,
       qui lentement se serait redressé,
       et sur une note finale et assourdissante

nous aurions tous pleuré avec lui,
(même moi,
moi qui pourtant ne pleure jamais),
nous aurions pleuré Tatiana
par lui perdue,
le grand rien de son existence
désormais,
avec dedans,
un autre espace inoccupé,
Lensky,
et Olga et le gros petit vide de sa vie ;
nous aurions pleuré
ces poupées russes déboîtées.

Mais cette fois-ci, tout est différent.
Car cette fois-ci il y a ce souvenir brutal et absolu,
cette flèche décochée depuis l'adolescence,
et moi je crois en la puissance
de ces très lointaines réminiscences,
et de toutes les autres qu'elles amènent,
je crois qu'elles sont capables de changer
le cours d'une histoire,
même   une histoire depuis longtemps écrite et jouée et
rejouée souvent,
même   une histoire qu'on connaît par coeur,
même   une histoire barricadée par les grands maîtres,
même   un grand opéra, un long poème ;
il me semble –
je crois –
que quand on recroise son adolescence,
même   accidentellement,
que quand on revient brutalement

dix mille sentiments en arrière,
cette histoire verrouillée par mille cadenas,
cet imputrescible poème,
mis sous cloche saupoudré
de deux cents ans de poussière,
on peut en changer les derniers vers.

Et donc,

à ce moment-là, Tatiana
comme si on lui tendait du bout des doigts à travers des
siècles de distance,
une petite myrtille bleue qui aurait le goût de l'adolescence,
le goût de cet été-là si grandiose et si tragique,
le goût des nuits à regarder les étoiles
s'allumer et s'éteindre,
à s'imaginer être étreinte et étreindre,
à se demander quel chemin prendre,
et si elle saurait,
une fois allongée contre Eugène,
quoi et comment toucher et caresser,
à ce moment, dix ans plus tard,
où tous ses rêves
acquéraient soudain le bleu et la rondeur de la réalité,
Tatiana ouvrit ses lèvres,
pour
acquiescer :
« Deux jours, et puis c'est tout. »
« C'est tout, »
répondit Eugène,
et il s'engagea immédiatement
à ce que ce soit tout.

Tout : toutes les rectifications.

Tout : toutes les justifications.

Tout : tous les rattrapages et tous les redressages de torts.

Tout : toute l'immense étendue de leurs deux corps.

Tout : tous leurs plus grands et leurs plus petits désirs,
et tout :

      toute l'angoisse et tous les plaisirs,

      accumulés depuis dix ans, depuis deux cents ans,

      les leurs, mais aussi les vôtres et les miens,

      et ceux du monde entier,

      tout cela, compressé dans une chambre

      du neuvième arrondissement,

           derrière le musée Grévin ;

           tout : tout seuls parmi les gens de cire,
tout ce qui fait qu'arrivé au bout de leur vie on pourra dire:

      ces deux jours-là les résumèrent ;

      ces deux jours-là qu'est-ce qu'ils s'aimèrent,

      ces deux jours-là suffirent.

Tout : et à partir du moment
où dans l'escalier
changé en escargot autour d'eux,

      parfaitement spirale et sinueuse hélice,

      Tatiana enfin effleura de ses lèvres la peau
du cou d'Eugène,

      juste au bord du col de son pull comme
on écarte l'entrée d'une tente,

           et à partir du moment où
il se perdit dans ses cheveux,

    ils vécurent,

        absolument,

          tout.

Je ne vais pas vous faire un tableau.
Je n'ai pas tout regardé,
      ou pas grand-chose, à peine,
      en entrouvrant les rideaux,   mais
              vous savez, de toute façon,
ou vous saurez,   ces explorations
                et ces trouvailles,
ces mille éblouissants petits détails,
      ces baisers comme de minces galets ricochant,
      ces chants
modulés de plus en plus précisément, au fur et à mesure
qu'ils en essayaient les touches,
      en ajustaient doucement les leviers ;
et je sais bien que tu sais – que tu sauras où les trouver,
      dans les encoignures les plus discrètes,
      toutes ces myriades de petites poignées secrètes ;
ainsi donc ils libérèrent, tels de petits lézards,
      des douzaines de frissons coincés depuis toujours
         dans des geôles insoupçonnées,
            avec des clefs inattendues,
et ils suivirent leur course reptilienne avec émerveillement,
notèrent l'écart de temps idéal à leur délivrance,
            se faisant tour à tour serruriers,
     bergers, et horlogers,
     pour se travailler avec exactitude ;
ils investirent ces territoires
qu'on navigue sans guide,
           avec les gestes gourds
           et le sérieux de la petite enfance,

découvrirent
ces soudains recoins de peau
qui se font instruments,
qui nous révèlent joueur de cornemuse
ou de violoncelle.
Et tu sais très bien ce que je veux dire quand je dis
qu'elle était belle,
le lendemain,
la lumière épuisée de six heures du matin,
et qu'il était beau dehors le boucan
du camion-poubelles,
les forçant au réveil et donc –
puisqu'il était impossible de résister –
à reprendre ce qu'ils avaient laissé
à peine quelques heures plus tôt,
chiffonné dans les draps en désordre :
leur amour.
Tu sais tout cela,
je te fais confiance.　　　Et donc
Tatiana et Eugène,
ces deux jours,
brisèrent le maléfice de l'adolescence
en retrouvant ses délices sans sa défiance,
et c'est ce que je me souhaite,
et c'est ce que te souhaite à toi aussi,
que l'on vive, peut-être,
ce tout :
un amour
plein, frais et rond comme une pomme verte,
un amour
qui tient exactement dans tes deux mains ouvertes :
l'amour que vécurent Eugène et Tatiana
ces deux jours-ci.

Sur ce, ma tâche est finie.
Je me suis débarrassée d'eux.
Je te promets

qu'ils seront heureux
au moins deux jours.

Et après ?
Je ne te promets pas
que deux ans plus tard, quand elle reviendra,
ils se retomberont dans les bras.

Mais peut-être.

Je veux bien, car j'ai un petit coeur, y croire.
Mais pas m'y engager.   Car il me semble
qu'au-delà de deux jours d'une telle histoire,
on s'ennuierait –

on s'ennuierait ensemble.

Remerciements

Trois romans Exprim' et six livres Sarbacane plus tard,
l'auteure dans sa tour d'ivoire
     (enfin, son Angleterre médiévale)
     se réveille brutalement pour se dire ouh là,
     il serait plus que temps
     de prononcer quelques remerciements
                            à l'égard
de ceux et celles sans qui ils n'auraient jamais été écrits,
ni publiés, et n'auraient jamais fini
entre les mains de tant de lectrices et lecteurs.
Mieux vaut tard, donc…   mais c'est avec le coeur,
et avec toujours autant d'incrédulité et d'étonnement,
que je dis merci à toute une troupe de gens…

merci, merci, merci à…

… tous les sarbacaniens, en particulier Anaïs, Phi-Anh,
Charlène, Claudine, et évidemment Emmanuelle et Fred.
Pour ce roman-ci, merci à Audrey qui a composé avec mon
anxiété (et mes caprices) pour la difficile mise en page.
Aux nombreux/ses blogueurs et blogueuses, et journalistes,
qui ont tant fait rouler *Comme des images* et *Les petites reines* ;
en particulier ceuzécelles devenu/es ami/es, comme Audrey,
Nathan, Bob et Jean-Michel. Aux libraires, profs, documen-
talistes, bibliothécaires, parents qui ont dit à des ados :
tiens, lis ça. Aux ados qui ont lu ça.

Une petite poignée de jeunes gens ont lu *Songe à la douceur*
avant qu'il soit fini. Des lectures incroyablement précises,
émouvantes, constructives, qui ont donné lieu à tant de
modifications, de réflexions, d'idées et d'évolutions, qu'il
serait impossible de dire que ce roman aurait pu s'écrire
sans leur aide. Julia, Antonia, Capucine, Léa, Mathilde,
Honorine, Alice, Cécile et, last but not least, Tom, merci,
vraiment, pour vos idées et votre gentillesse.

Pour leurs conseils, leurs blagues et les innombrables heures
passées sur Facebook avec eux et elles, merci aux amis réels,
même en pixels, auteurs/illustrateurs/blogueurs/journal-
istes : Lucie le suricate, Séverine, Sandrine, Cécile, Vivi,
Gwenaëlle, Anne, Alice, Philippe, Stéphanie, Marion,
Mélanie, Hélène, Anne-Gaëlle, Fanny, Gaël, Églantine,
Benoît, Annelise, Hélène, Marine-Césarine, Gabriel, Janine,
Will, Coline-et-Martin, Ricou. Et Jean Paul, bien sûr, and
Julian, of course. Parmi mes amis en-dehors du monde de la
littérature jeunesse (j'en ai quelques-uns), merci à Salman,
Oakleigh, Mathilde, Alice et Antoine, Dmitri, qui partage
mon amour pour Onéguine, et aux autres présences qui se
reconnaîtront. Et à Alex, cela va de soi ; j'espère qu'un jour
tu le liras.

Merci à ma très grande famille nombreuse, dont Maman,
lectrice n°1, exaltée et exigeante, et Papa, lecteur n°2, qui
tempère les commentaires de la n°1, par un « moi ça m'a
plu, c'était très bien ».

Et par-dessous tout, merci, merci, merci Tibo le téméraire,
editor extraordinaire, aussi à l'aise à Hache-Quatre que
perché sur un VTT, Tibo qui ne tremble pas (enfin, à peine)

quand on lui dit j'ai une super idée
je vais adapter Eugène Onéguine
                    ah très très bonne idée Clémentine
                    c'est tellement vendeur nickel vas-y
Tibo artiste de l'arc-en-ciel, grand ajouteur d'adverbes inédits,
merci Tibo, évidemment,
essaie de résister à l'envie de stabiloter ces remerciements...

Samiha et les fantômes
Talents hauts, 2010

Les Petites Filles top-modèles
Talents hauts, 2010, 2016

Le Plume de Marie
Talents hauts, 2011, 2016

La Pouilleuse
Éditions Sarbacane, 2012

Comme des images
Éditions Sarbacane, 2014, 2017

La Louve
Alice jeunesse, 2014

Lettres de mon hélicoptêtre
Éditions Sarbacane, 2015

Les Petites Reines
Éditions Sarbacane, 2015

Carambol'Ange
L'affaire mamie Paulette
Éditions Sarbacane, 2015

LES ROYALES BABY-SITTERS
Les bébés ça pue !
Hachette, 2015
et « Le Livre de poche », 2016

Les Royales Demoiselles d'horreur
Hachette, 2016
et « Le Livre de poche », 2017

*

Va jouer avec le petit garçon
Éditions Sarbacane, 2016

*

BIBI SCOTT, DÉTECTIVE À ROLLERS
Chasse au scoop
Rageot, 2017

*

Gare aux gargouilles
Rageot, 2018

Ameline, joueuse de flûte
Alice jeunesse, 2018

Brexit Romance
Éditions Sarbacane, 2018

RÉALISATION : PAO ÉDITIONS DU SEUIL
IMPRESSION : CPI FRANCE
DÉPÔT LÉGAL : JUIN 2018. N° 139893 (3027969)
IMPRIMÉ EN FRANCE

photo D.R.

Comme des images

Les Petites Reines

29 août

Brexit Romance

DÉCOUVREZ TOUT L'UNIVERS DE
CLÉMENTINE BEAUVAIS
AUX ÉDITIONS SARBACANE